SOMMAIRE

Ouverture
Mai 68, révolte et répression.

Chapitre 1
L'INTERNATIONALE ÉTUDIANTE
Dès 1965, la dénonciation de la guerre du Viêt-nam secoue les universités américaines et prend une forme très violente au Japon. La crise s'étend aux universités européennes où la protestation étudiante sape le bien-fondé de la division du monde entre Est et Ouest, issue de la Seconde Guerre mondiale. La critique de l'Université se développe face à un système d'éducation caduc.

Chapitre 2
L'ONDE DE CHOC TRAVERSE L'UNIVERSITÉ
En France, le mouvement part de l'université de Nanterre, construite au milieu des bidonvilles. Les réformes pour la modernisation de l'université font l'unanimité contre elles. Le Mouvement du 22 Mars, avec son porte-parole, Daniel Cohn-Bendit, devient le symbole de la contestation étudiante et se dote de nouveaux moyens d'expression. L'intransigeance des autorités universitaires contribue à exporter le conflit à Paris.

Chapitre 3
BAGARRES ET BARRICADES : L'AFFRONTEMENT
Une escalade s'instaure entre autorités universitaires et étudiants contestataires lors de manifestations au Quartier latin autour de la Sorbonne interdite. Les facultés de province se mobilisent au nom de l'indépendance de l'Université. Après la nuit des barricades, les manifestations du 13 mai réunissent étudiants et ouvriers dans toute la France.

Chapitre 4
LA TACHE D'HUILE
Le 14 mai, prenant le relais de la révolte étudiante, la grève générale ouvrière commence à Sud-Aviation, en Loire-Atlantique, bientôt rejointe par d'autres grands sites industriels. L'occupation des usines s'étend au secteur public : SNCF, RATP, PTT, ORTF. Partout en France, des manifestations de paysans expriment leur solidarité. Les négociations de Grenelle des 25-27 mai n'entraînent pas la fin de la grève, refusée par la base. La contre-manifestation gaulliste du 30 mai et les élections législatives marquent la reprise en main d'un mouvement qui a ébranlé les institutions pendant plus de deux mois.

Témoignages et documents

MAI 68
JOUR ET NUIT

Christine Fauré

DÉCOUVERTES GALLIMARD
HISTOIRE

L'année 1968 connaît une agitation étudiante exceptionnelle : Etats-Unis, Brésil, Mexique, Japon, mais aussi Allemagne fédérale, Belgique, Suède, Pologne, Tchécoslovaquie, et jusque certains pays d'Afrique. En Espagne, en France et en Italie, la révolte gagne le monde ouvrier. La convergence de ces mouvements trouve ses origines profondes dans la remise en cause de l'ordre mondial de l'après-guerre.

CHAPITRE 1

L'INTERNATIONALE ÉTUDIANTE

••Le rouge pour naître à Barcelone / Le noir pour mourir à Paris.••

La référence à l'international et à la révolte est bien présente dans un graffiti de la faculté de Censier. Les manifestations contre la guerre du Viêt-nam sont nombreuses à Paris (ci-contre, en 1966, devant l'ambassade des Etats-Unis; à gauche, les Comités Viêt-nam de base, en mars 1968.

La contestation de l'ordre mondial établi

La crise de civilisation, l'insatisfaction engendrée par une société de consommation peuvent-elles être évoquées seulement pour des pays ayant atteint un certain niveau d'industrialisation et de technologie? La simultanéité des mouvements de jeunes correspond plutôt à une remise en cause généralisée de l'ordre politique établi après la Seconde Guerre mondiale, partage du monde en zones d'influence entre les démocraties libérales et le bloc communiste, chaque entité restant aux aguets des difficultés de l'autre et de ses scissions. Dimension scissionnaire qui joue un rôle attractif dans les références que se donnent les mouvements étudiants à travers les figures charismatiques de Castro, Guevara et Mao. Il est paradoxal que la Révolution culturelle chinoise, une lutte pour le pouvoir menée au sommet entre une poignée d'individus,

La marche sur le Pentagone des étudiants américains rassemble, le 21 octobre 1967, 75 000 personnes en présence de nombreux intellectuels de renom, tels que N. Mailer, N. Chomsky. Pendant toute l'année, les manifestations se multiplient, avec le blocus des centres de recrutement et le renvoi des livrets militaires.

véritable séisme économique et culturel, à l'origine de nombreux massacres, ait alimenté, en Occident, des comportements de révolte anti-autoritaire.

Dès l'année 1965, la guerre du Viêt-nam, première guerre télévisée, est le principal amplificateur des revendications étudiantes. Cette guerre, menée par l'Etat le plus puissant du monde contre un pays peuplé de paysans pauvres, au nom des dangers du communisme, non seulement cristallise l'indignation morale d'individus devant les atrocités commises et l'énormité des moyens mis en œuvre, mais surtout sape le bien-fondé de cette division du monde en Est et Ouest. La barbarie de l'Etat américain dans la guerre du Viêt-nam devient une évidence et suscite des protestations dans le monde entier.

A Washington et dans beaucoup d'autres villes du monde entier, le 17 avril 1965 a lieu la Marche pour la paix (en bas et à gauche, le 17 avril 1965 à Washington).

Contre la guerre du Viêt-nam

La dénonciation de la guerre du Viêt-nam va, pour la gauche américaine, prendre le relais de la participation au Mouvement pour les droits civiques, qui perd de son importance au fur et à mesure que se forme un mouvement noir fier de son identité et jaloux de ses initiatives. Elle est à l'origine d'un front très large qui comprend de nombreuses personnalités. Les radicaux dans les universités ne représentent qu'une minorité, mais la contestation des valeurs traditionnelles de l'Amérique y est très unanimement partagée. La résistance à la conscription et la désobéissance civile sont désormais considérées comme admissibles. L'assassinat du pasteur Martin Luther

Les poètes de la Beat Generation concilient une conception merveilleuse et sublime de la poésie avec la révolte contre une société qui en est dépourvue : l'Amérique de la bombe atomique, du maccarthisme et du racisme. Ici, Allen Ginsberg lisant ses poèmes à Washington Square en 1966.

I WON'T FIGHT IN VIETNAM

King à Memphis le 4 avril 1968 déclenche à l'échelon national des émeutes contre la discrimination raciale qui font 40 morts et plus de 3 500 blessés. Le 24 avril, l'université Columbia à New York et celle de Boston, accusées de faire preuve de racisme, sont occupées par des étudiants noirs et blancs : séquestration du doyen, saccages des bureaux. Le 29 avril, une manifestation contre la guerre rassemble plus de 100 000 personnes à New York. La veuve du pasteur Martin Luther King y donne lecture des « 10 Commandements sur le Viêt-nam ».

Mais c'est au Japon que l'antiaméricanisme et la lutte contre la guerre du Viêt-nam prennent la forme la plus violente. En vue du renouvellement du pacte de sécurité américano-nippon signé en 1960, les membres du Zengakuren (le syndicat national des étudiants), divisés en factions rivales, prennent pour cible les signes de la présence américaine au Japon et développent des stratégies de combat élaborées : le 9 mars 1968, protestations et affrontements à Tokyo contre la construction, dans le centre de la ville, d'un hôpital militaire américain ; le 2 avril, protestation contre l'aéroport de Narita qui doit ravitailler les troupes américaines au Viêt-nam, puis le 15 mai 1968, contre l'escale d'un sous-marin atomique américain à l'origine d'une augmentation de la radioactivité dans le port de Sasebo, au sud du Japon. Tous ces groupes, malgré leur division, sont hostiles à la base américaine de l'île d'Okinawa, occupée par les américains (manifestations du 29 avril 1968).

En Europe, à Berlin – ville frontière –, la contestation des jeunes générations est d'autant plus forte que la base américaine de Francfort rappelle la puissance tutélaire des Etats-Unis à l'égard de la

Après les émeutes qui suivent l'assassinat de Martin Luther King (ci-dessus, le jour de ses funérailles, le 8 avril

1968), l'université Columbia, accusée de mesures racistes, est occupée par les étudiants (ci-dessus, un sit-in à Columbia).

République fédérale allemande (RFA). La première manifestation sur le Viêt-nam, le 6 février 1966, adopte un caractère hautement symbolique : le drapeau américain est mis en berne, une affiche accuse le gouvernement de complicité dans la guerre américaine. Cette dénonciation, dans le contexte allemand, prend l'allure d'un véritable sacrilège. En décembre 1966, une seconde manifestation a lieu; les effigies de Johnson et de Ulbricht, premier secrétaire du Parti communiste de la République démocratique allemande (RDA) sont brûlées.

Les Zengakuren japonais (ci-dessous), coiffés de casques aux couleurs vives et armés de javelots, combattent «sans illusion, le capitalisme à l'Ouest et la bureaucratie des pays dits socialistes».

Dès janvier 1967, toute manifestation étudiante est interdite dans le centre ville de Berlin-Ouest. Le 5 avril 1967, la visite du vice-président Humphrey provoque affrontements et manifestations. Les 17-18 février 1968, ont lieu, à Berlin-Ouest, un congrès international de solidarité avec la Révolution vietnamienne et une manifestation.

Le Viêt-nam vu de France

En France, la politique gouvernementale change la donne. Alors que le chancelier allemand Erhard rend hommage aux Etats-Unis qui «défendent la liberté au Viêt-nam» (20 décembre 1965), le général de Gaulle prend position, dans une lettre à Ho Chi Minh du 8 février 1966, contre l'intervention militaire américaine et pour le respect des Accords de Genève de 1954 qui stipulent l'interdiction de faire entrer des troupes et des armements étrangers au Viêt-nam.

Les manifestations contre la guerre sont d'abord marquées par le soutien aux intellectuels américains qui mènent le combat. Une insatisfaction croissante à l'égard de la politique gaulliste

A Berlin, le Congrès international de solidarité avec la Révolution vietnamienne, des 17 et 18 février 1968 (ci-dessous), est, malgré l'interdiction, l'occasion d'une manifestation à laquelle participent de nombreux étudiants étrangers (ci-dessous).

– estimée insuffisante – et du Parti communiste, l'évolution de la guerre et le bombardement du Viêt-nam du Nord amènent la formation de comités à l'initiative de responsables de mouvements de jeunesse de gauche et d'intellectuels : «Semaine universitaire internationale contre la guerre du Viêt-nam» (18-25 novembre 1965), soutien, aide financière, Association du milliard pour le Viêt-nam (1966), puis Comité Viêt-nam national (CVN, 29 novembre 1966, à l'appel de Bartoli, Kastler, Schwartz, Sartre et Vidal-Naquet) et Comités Viêt-nam de base, d'inspiration marxiste-léniniste, sous le mot d'ordre «FNL vaincra». CVN et CVB exercent une influence concurrente dans le milieu étudiant. En 1968, dans les manifestations, l'antifascisme prend le pas sur la dénonciation de l'hégémonie américaine.

Le tribunal international contre les crimes de guerre commis au Viêt-nam, dit tribunal Russell, réuni à Londres en novembre 1966 et à Stockholm en mai 1967 – le général de Gaulle ayant refusé qu'il se tienne à Paris –, marque la volonté d'universaliser la dénonciation de la guerre. Le 18 mars 1968, le consul américain est malmené par les étudiants à Stockholm et un Comité de déserteurs américains est formé pour inciter d'autres soldats à suivre leur exemple.

Dans sa déclaration inaugurale, Jean-Paul Sartre inscrit la création du tribunal Russell, du nom du philosophe, dans le prolongement du tribunal de Nuremberg (1945-1946), constitué par les Etats alliés pour juger les criminels nazis. Les Américains interviennent à titre d'experts. Seuls quatre sont juges. Ci-dessus, au Danemark en décembre 1967, le professeur Schwartz lit la résolution reconnaissant les Etats Unis «coupables de nombreux crimes de guerre au Viêt-nam.» A gauche, Jean-Paul Sartre.

A l'Est, la démocratisation de la société

En Pologne, la protestation étudiante a un point de départ déconcertant : la censure – pour ses allusions antirusses – d'une pièce de Mickiewicz, *Les Aïeux*; qui suscite manifestations et pétitions : «En luttant pour la pièce de Mickiewicz, nous luttons pour l'indépendance et la liberté et pour les traditions démocratiques de notre pays.» Deux étudiants, considérés comme chefs de file de l'opposition et d'origine juive, sont expulsés de l'université de Varsovie, mettant les «hautes écoles» en ébullition. Le 29 février, l'Association des écrivains de Varsovie regrette l'interdiction de la pièce. Aux cris de «Vive les écrivains», «Liberté d'expression», «Démocratie», «Constitution» et «Gestapo» à l'adresse de la police, les troubles se propagent dans la plupart des universités et gagnent l'Ecole polytechnique, l'établissement universitaire le plus important de Pologne, qui se met en grève le 13 mars 1968. Une pétition en treize points est rédigée : liberté de parole et de réunion, publicité des débats, libération des étudiants arrêtés, inviolabilité des institutions universitaires… «Nous désirons poursuivre nos études pour pouvoir édifier le socialisme dans notre pays, conformément aux libertés démocratiques.»

   Le Printemps de Prague, impulsé à partir de janvier 1968 par Alexander Dubcek qui succède à la tête du Parti à Novotny, n'est pas un mouvement d'étudiants.

La révolte des étudiants polonais entraine des actions de solidarité à l'Ouest (ci-dessus, à Londres) et à l'Est. L'université de Prague invite B. Baczko et L. Kolakovski, les professeurs exclus. Les étudiants de Belgrade adressent des lettres de solidarité aux autorités polonaises. A l'université Humboldt de Berlin-Est, des tracts anonymes sur les événements polonais sont distribués. Cette révolte étudiante se heurte néanmoins à une relative passivité du reste de la population. La répression va au-delà de l'Université : hauts fonctionnaires – dont les enfants ont participé aux manifestations – destitués; professeurs exclus (dont six de l'Université de Varsovie). L'acte de révocation spécifie qu'ils «étaient protecteurs et défenseurs des étudiants pour la plupart d'origine juive».

Certes l'université participe à l'effort de libéralisation de la vie publique, notamment par la création officielle du Parlement étudiant de Prague. Les étudiants des autres pays socialistes, dans leurs espoirs, associent les événements polonais au Printemps de Prague auquel l'occupation soviétique du 20-21 août 1968 mettra fin.

Régimes dictatoriaux de l'Ouest et libéralisation

En 1968, dans l'Espagne de Franco, les étudiants mènent une lutte ouverte contre le régime – lutte soutenue par l'organisation clandestine des partis d'opposition – qui culmine avec la fermeture de plusieurs universités, dont celle de Madrid évacuée le 29 février. Des manifestations contre la guerre du Viêt-nam dénoncent les bases militaires américaines dont les accords de renouvellement sont en cours, mais l'enjeu primordial reste l'avènement de la démocratie. «Ni Franco, ni Carillo [secrétaire général du Parti communiste] ne nous feront bouger, nous luttons pour la liberté.» Ce mouvement étudiant n'est pas isolé et trouve un écho dans les «commissions ouvrières» dont les dirigeants sont arrêtés le 25 mars.

L'Amérique latine connaît aussi de graves troubles universitaires. Le 28 mars 1968, la mort d'un étudiant de Rio de Janeiro, Lima Souto, déclenche des manifestations dans les grandes villes du Brésil. Ses obsèques, aux cris de «A bas l'impérialisme, Che Guevara et Lima Souto ont été abattus par la même main», sont transformées en rassemblement populaire contre lequel la cavalerie intervient le 4 avril. Un autre étudiant, Ivo Vieira, est tué à Goiania.

Le Mexique, choisi pour la tenue des XIXe Jeux olympiques, connaît des affrontements si violents entre étudiants et police, puis armée, que l'on n'hésite pas à parler de massacres pour les événements survenus le 2 octobre 1968, place des Trois-Cultures dans le quartier de Tlatelolco, qui feront 300 morts officiels.

Depuis le 22 juillet jusqu'au 2 octobre 1968, date du massacre de la place des Trois-Cultures, une véritable escalade s'est instaurée entre le Comité national de grève des étudiants et le gouvernement mexicain, où l'exigence de la liberté politique tient une place centrale. La dénonciation par les étudiants de l'article 145 du Code pénal, promulgué pendant la guerre contre les nazis, donne au gouvernement, sous le titre de délit de subversion, la possibilité de procéder à des arrestations et à des incarcérations arbitraires. Le rôle de la Révolution cubaine dans ces affrontements est déterminant, comme symbole d'indépendance nationale et de résistance aux menées stratégiques des Etats-Unis en Amérique latine (ci-dessus, manifestation étudiante à Mexico en septembre 1968).

Un système d'éducation devenu caduc

Pour des étudiants allemands, italiens ou français, la démocratisation de la société signifie aussi le changement d'un système d'éducation devenu caduc par ses méthodes et son enseignement. La radicalisation politique interviendra ensuite lorsque l'institution s'avérera sourde aux revendications.

En Allemagne fédérale, le mouvement étudiant part de l'Université libre de Berlin-Ouest, créée pour faire pièce à l'Université Humboldt située dans le secteur soviétique. Son projet de départ, pédagogique et gestionnaire – existence d'un Parlement étudiant –, s'est trouvé restreint par l'autoritarisme des instances dirigeantes. D'où des mouvements contre le retrait forcé des cartes d'étudiants, la contestation du cours magistral et la fondation de l'Université critique le 11 juillet 1967, en présence du philosophe Herbert Marcuse, auteur d'*Eros et Civilisation* (1955) et de *L'Homme unidimensionnel* (1964).

Les philosophes de l'Ecole de Francfort (M. Horkheimer, Th. Adorno, J. Habermas), dont Marcuse fit partie, exercent également leur influence dans l'élaboration de cette réflexion critique : critique du système d'éducation, impérialisme et révolution socialiste, culture et

Herbert Marcuse, ayant quitté l'Allemagne en 1933 pour les Etats-Unis, est professeur à l'Université de San Diego (Californie). Dans *Eros et civilisation*, il démontre la possibilité d'un développement non répressif de la libido, dans les conditions d'une civilisation arrivée à maturité. L'imagination est cette faculté créatrice qui projette la réconciliation du principe de plaisir avec le principe de réalité.

système capitaliste, psychologie et société.
Le mouvement étudiant est généralement hostile
à une Université qui se développerait à l'écart
du monde, à l'exception de Fritz Teufel et Rainer
Langhans, membres de la Kommune I de Berlin-Ouest
ainsi que de la Fédération des étudiants socialistes
(SDS, issue du Parti social-démocrate), qui affirment :
«Nous nous mettons en marge et nous ridiculisons
toutes les manifestations de cette société.»

L'enterrement d'un étudiant allemand, Benno
Ohnesorg, tué par un policier en civil le 2 juin 1967
lors d'une manifestation contre la réception
à Berlin du Shah d'Iran, est suivi d'une
campagne d'explications sur l'opposition
extraparlementaire qui rassemble le
mouvement étudiant. Cette opposition
craint qu'un gouvernement de coalition ne
fasse aboutir le projet d'une législation
d'exception dirigée contre elle, contrepartie
à donner aux Alliés en échange
d'un renforcement de la
souveraineté du pays.
La tentative d'assassinat,
le 11 avril 1968, de Rudi
Dutschke, l'un des
principaux chefs du SDS,
déclenche en Allemagne et
à l'étranger une vague de

Des manifestations
de solidarité
(ci-contre à Berlin-
Ouest et en bas à Paris)
suivent la tentative
d'assassinat du leader
étudiant Rudi
Dutschke. Des actions
de sabotage des réseaux
de distribution de la
presse Springer sont
également déclenchées.
On sait que la
campagne virulente
du groupe Springer
contre la gauche
extraparlementaire
étudiante a fortement
influencé l'agresseur
de Rudi Dutschke.
D'ailleurs, l'analyse
de l'impact de cette
campagne était déjà
au programme de
l'Université critique
sous la rubrique
«Langage politique
et fausse conscience
sociale».

••Si ça brûle
quelque part dans
les prochains jours,
si quelque part, une
caserne saute en l'air,
si quelque part
une tribune s'effondre
sur un stade, s'il vous
plaît, ne soyez pas
surpris, pas moins
surpris que lorsque
les Américains
franchissent la ligne
de démarcation,
lorsque le centre de
Hanoï est bombardé.••

C'est ainsi que la
Kommune I, dans son
style provocateur et
parodique, dénonçait,
en mars 1967,
la mise en spectacle
des guerres les plus
meurtrières.

manifestations de solidarité. Mais l'élargissement du mouvement étudiant allemand au monde politique laisse indifférents les milieux ouvriers; le second souffle capable d'entraîner d'autres groupes sociaux n'est pas trouvé.

En Italie, manifestations d'étudiants dans les rues de Milan (ci-dessus) et discussions de lycéens à Parme (ci-dessous).

Le «Mai rampant» italien

Décalée par rapport au mouvement allemand, précédant le déclenchement des événements en France, le mouvement italien durera jusqu'à l'automne 1969. L'Université est dans un état déplorable, incapable de faire face à l'augmentation massive des effectifs (140 000 nouveaux inscrits, 20 000 de plus que l'année précédente),

conservatrice et archaïque. Le projet Gui de réforme universitaire, du nom du ministre de l'Instruction publique, ne touche pas au pouvoir des *baroni* (les mandarins) qui refusent tout changement venant des étudiants. A Rome, l'attitude du recteur d'Avacq, qui fait évacuer l'université par les carabiniers (29 février), provoque des affrontements violents, dans les jardins de la Villa Borghèse où se trouve la faculté d'architecture.

La contestation étudiante, commencée à l'université de Trente le 1er novembre 1967, est suivie par l'occupation de l'Université catholique de Milan le 27 novembre. Puis c'est le tour de Turin où la faculté des lettres est occupée, puis Gênes le 29 novembre, Pavie le 1er décembre, le même jour Cagliari, Salerne et Naples le 4 décembre, Sassari le 11, Padoue le 15 décembre. La faculté d'architecture de Turin est occupée le 18 et la police intervient le 27 à la demande du recteur. La réflexion critique menée dans le cadre de cette occupation nourrira l'ensemble du mouvement étudiant en Italie (plate forme revendicative pour la restructuration des Facultés humanistes, décembre 1967).

Comme à Berlin ou à Paris, les effigies de Ho Chi Minh, Guevara et Mao peuplent les universités italiennes. Ces étudiants à qui Rossana Rossanda, membre du Parti communiste, reconnaît la dignité de sujets politiques, réussissent à établir une jonction avec le mouvement ouvrier qui trouvera sa pleine expression aux usines de la Fiat en 1969.

Des heurts violents m. aux prises, le 4 m. les carabiniers et le étudiants romains qu veulent s'emparer du contrôle de la faculté d'architecture. A l'origine, une revendication pour une plus large participation à la gestion des facultés. Scandalisé

par l'expérimentation d'examens conduite par les étudiants, le recteur d'Avacq avait fait intervenir la police le 29 février. *Il rettore magnifico* persiste le 26 mars, par une mise en demeure d'évacuation en menaçant d'annuler les résultats de l'année 1967-1968.

L a contestation étudiante qui prend forme dans l'université de Nanterre, sous le nom de Mouvement du 22 mars, avec son porte-parole fétiche Daniel Cohn-Bendit, n'est pas tombée du ciel. Elle est le contrecoup d'une histoire locale et nationale, une histoire ancrée dans le début des années 1960.

CHAPITRE 2

L'ONDE DE CHOC TRAVERSE L'UNIVERSITÉ

❝M'sieur Grappin avait résolu (bis) / De nous faire tomber sur le cul (bis) / Mais son coup a foiré / Malgré les policiers. Valsons la Grappignole / C'est la misère ou la colère / Valsons la Grappignole / C'est la misère / A Nanterre. Ah! ça ira, ça ira, ça ira / Morin, Lefebvre on les emmerde / Ah! ça / ira, ça ira, ça ira / Et le Touraine on s'le paiera.❞

«La Grappignole», chant de guerre des «Polonais» de Nanterre, sur l'air de «La Carmagnole» et du «Ça ira». [A gauche et à droite, les étudiants à Nanterre après le 22 mars 1968.]

L'Université épuisée

A l'image des autres pays occidentaux, la France n'a pas su adapter son enseignement secondaire et supérieur aux exigences de son temps. Comme après toutes les guerres, la natalité s'est redressée après la Seconde Guerre mondiale. La croissance des effectifs scolaires et universitaires s'avère durable, car à cette vague démographique s'est ajouté un phénomène distinct : l'allongement de la scolarisation. La carte de l'enseignement supérieur s'en trouve bouleversée. Les 17 anciennes universités ne suffisent plus et le campus suburbain s'est institutionnalisé.

L'UNEF décomposée

Le syndicalisme étudiant que représente l'UNEF (Union nationale des étudiants de France) est à bout de souffle. Alors qu'à son heure de gloire, en 1961,

Pour répondre à l'accroissement des effectifs, de nouvelles universités sont créées en province. Dans la région parisienne, l'indépendance du Centre scientifique d'Orsay est reconnue en 1966. La faculté des sciences de Paris se dote de nouveaux locaux à la Halle aux vins (encore en chantier en 1968). La faculté de Nanterre, encastrée dans une zone de bidonvilles, prête à accueillir les étudiants de l'Ouest parisien, ouvre en 1964 (en haut et en bas, Nanterre en 1968).

D'autres déséquilibres frappent le milieu universitaire : sur dix ans, l'accroissement des effectifs, quadruplant en faculté de lettres alors qu'il ne fait que tripler en droit et doubler en sciences et en médecine, amène la réforme Fouchet (décret du 22 juin 1966) qui tente d'organiser les deux premiers cycles en lettres et sciences humaines. Ce plan, par son caractère ambigu (il maintient partiellement l'ancien système et limite la liberté de l'étudiant en instituant des couloirs d'enseignement longs ou courts), fait l'unanimité contre lui. Toutes ces difficultés auraient pu alerter les autorités sur la gravité de la situation.

le syndicat comprenait plus de 100 000 adhérents, en 1968, il en compte moins de 30 000. Dans le même temps, le nombre des étudiants est passé de 240 000 à près de 600 000. Cet affaiblissement, qui se traduit par une situation financière désastreuse, lui enlève toute chance d'apparaître comme un interlocuteur valable : d'ailleurs les ministres qui se sont succédé à l'Education nationale ne lui ont pas accordé d'audience depuis 1964.

Cependant la commission internationale de l'UNEF reste en prise sur l'actualité et développe des contacts avec les mouvements allemands et italiens. La dénonciation de la guerre du Viêt-nam et l'anti-impérialisme se situent dans la tradition de l'opposition à la guerre d'Algérie : en novembre 1966, l'UNEF a appelé au meeting des Six Heures pour le Viêt-nam d'où naquit le Comité Viêt-nam national (CVN). Et malgré un certain isolement, la nouvelle direction de l'UNEF

Marc Kravetz (ci-dessus, à droite) et Antoine Griset mènent une autocritique ravageuse sur le syndicalisme étudiant et ses revendications corporatistes.

prendra des initiatives en commun avec le puissant syndicat de l'enseignement supérieur (le Syndicat national de l'enseignement supérieur, le SNE Sup), dont Alain Geismar est le président.

Face-à-face : l'UJCML (à droite) et le service d'ordre de la CGT, le 1er mai 1968.

La prolifération des groupuscules

L'affaiblissement de l'UNEF est également propice aux affrontements entre groupuscules politiques. Depuis janvier 1968, les étudiants du PSU (Parti socialiste unifié) sont à la direction de l'UNEF, dont Jacques Sauvageot est le vice-président. Ils sont aux prises avec les étudiants communistes de l'Union des étudiants communistes (UEC), qui dominent certaines AGE (Associations générales des étudiants) et défendent la ligne du Parti dans son mensuel *Le Nouveau Clarté*. Il faut compter aussi avec les ambitions des groupes trotskistes : le Comité de liaison des étudiants révolutionnaires (CLER), réuni autour du journal *La Vérité*, qui déclare compter plus de 1 000 étudiants ; la Jeunesse communiste révolutionnaire (JCR), groupe formé en 1966 par une

LA VERIT

Revue de l'Organisation Communiste Internationale et du Comité International pour la Reconstruction de la IV° Internationale

Rédaction et Administration :
39, rue du Faubourg-du-Temple - PARIS (10°)

Avril-Mai 1968   N° 561 - 2 F

LE MANIFESTE

DE

L'ORGANISATION

COMMUNISTE

INTERNATIONALIS

centaine d'étudiants du secteur Sorbonne-Lettres de l'UEC. L'Union de la jeunesse communiste marxiste-léniniste (UJCML), fondée en novembre 1966 par les Cercles de l'UEC de l'Ecole normale supérieure et de la faculté de droit, est marquée par l'enseignement du philosophe Louis Althusser. Ce groupe a publié d'abord une revue théorique, les *Cahiers marxistes léninistes*, un journal *Garde Rouge*, organe de la ligne du Parti, puis *Servir le peuple* depuis juillet 1967. Il se partage entre l'éloge

de l'exemple chinois et le soutien à des luttes de base contre la bureaucratie de la CGT.

A l'opposé de ces groupes d'idéologie autoritaire, il faut ajouter les anarchistes et les situationnistes (l'Internationale situationniste, qui se dénomme ainsi à partir de sa faculté de construire des situations irréversibles, existe depuis 1958), se réclamant du modèle historique des Conseils ouvriers et pour qui l'UNEF reste néanmoins un lieu d'intervention. A Nanterre, par exemple, la Liaison des étudiants anarchistes (LEA), issue de divers groupes libertaires dont la CNT (Confédération nationale du travail) et regroupée autour d'un projet d'intervention sur les problèmes de l'enseignement, présente une liste aux élections de l'UNEF. Elle sera élue sous le sigle «Tendance syndicale révolutionnaire fédéraliste».

« Gigantesque et minuscule », a écrit le sociologue Edgar Morin en parlant des événements de Mai 68. Gigantesque, car ce mouvement est inscrit dans une dimension géopolitique dense en débordements comparables, et minuscule car il a mis sous les projecteurs de l'actualité l'action de petits noyaux d'étudiants dans «l'étrange campus de Nanterre-la-Folie.» Ci-dessus, un tract du LEA; ci-contre, Alain Krivine, au 1er congrès national de la JCR en mars 1967; à gauche, en bas, *La Vérité*, journal des étudiants du CLER, connus sous l'appellation de lambertistes, du nom de Pierre Lambert son dirigeant.

❝ SITUATIONNISTE, adj. et n. Se dit d'un groupe d'étudiants préconisant une action efficace contre la situation sociale qui favorise la génération en place. ❞

Cette définition du Larousse fit l'objet des sarcasmes de l'Internationale situationniste.

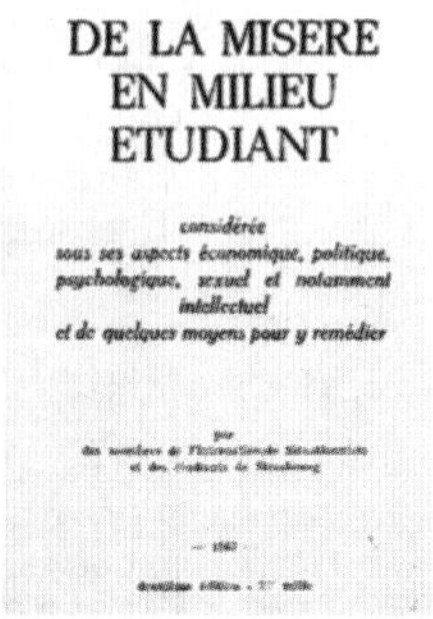

LE RETOUR DE LA C

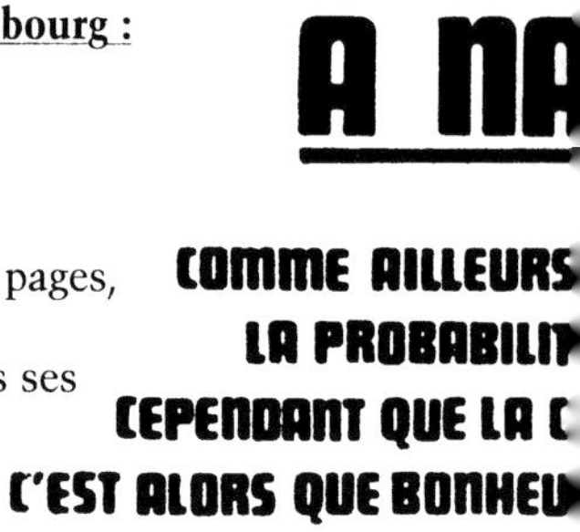

A NA

DE LA MISERE EN MILIEU ETUDIANT

considérée
sous ses aspects économique, politique,
psychologique, sexuel et notamment
intellectuel
et de quelques moyens pour y remédier

par
des membres de l'Internationale Situationniste
et des étudiants de Strasbourg

— 1967 —

deuxième édition « 1re série

Le coup de force de Strasbourg : «De la misère en milieu étudiant»

En novembre 1966, une brochure anonyme de 25 pages, «De la misère en milieu étudiant, considérée sous ses aspects économiques, politiques, psychologiques, sexuels et notamment intellectuels et quelques moyens pour y remédier», fait scandale. Portant pour toute signature «des membres de l'Internationale situationniste et des étudiants de Strasbourg», elle expose les opinions du nouveau bureau de l'Association fédérative générale des étudiants de Strasbourg, affiliée à l'UNEF.

Dans un style ironique, brillant, volontiers virulent voire injurieux, elle dénonce la mauvaise condition de l'étudiant qui «après le policier et le prêtre, est l'être le plus universellement méprisé», stigmatise sa dépendance «des deux systèmes les plus puissants d'autorité sociale, la famille et l'Etat». Elle attaque les organisations bureaucratiques déclinantes, du Parti communiste à l'UNEF, cautionnées par une intelligentsia de gauche méprisable pour son opportunisme, «incapable de passion réelle». Sa critique du syndicalisme étudiant s'appuie sur une attaque des modernistes de gauche qui revendiquent une réforme structurelle de l'Université : «une réinsertion de l'Université dans la vie sociale et économique». Les idéologies qui traversent

**COMME AILLEURS
LA PROBABILIT
CEPENDANT QUE LA C
C'EST ALORS QUE BONHEU**

Dans la bande dessinée situationniste, *Le Retour de la colonne Durutti*, on peut voir deux cow-boys se dire : «De quoi t'occupes-tu exactement? De la réification? – Non, je me promène principalement» (ci-contre), ou lire : «Leur connaissance de la vie ne devait rien à leur présence épisodique dans l'enceinte des facultés, ni aux quelques diplômes qu'ils avaient acquis par les moyens les plus divers et les moins avouables». En haut, à gauche, la brochure «De la misère en milieu étudiant».

**LES IDEES S'AMELIORENT.
TOUT CE QUI EST DIS
EU RESTERA GRIS TANT
QU'ON
OUS de jou**

ONNE DURUTTI

ERRE

PLUS DE HASARD

S COMPLICITES

QUE LES RENCONTRES.

LHEUR PRENNENT FORME.

AMOUR?
N PARLENT BEAUCOUP
N LE FAIT TROP PEU!

'EST QUE DANS CES MURS DE
BETON, L'ANESTHESIE
QUE L'INDIFFERENCE

ES MOTS Y PARTICIPE.

EST A DISCUTER.

URA PAS ETE REINV

SE !

amarades!

le milieu étudiant sont critiquées : « L'étudiant est fier de s'opposer aux archaïsmes d'un de Gaulle, mais ne comprend pas qu'il le fait au nom d'erreurs du passé, de crimes refroidis (comme le stalinisme à l'époque de Togliatti, Garaudy, Khrouchtchev, Mao)». Le scandale que suscite «De la misère en milieu étudiant » va jusqu'à la nomination d'un administrateur judiciaire pour surveiller la gestion des biens de l'Association. *Le Figaro* écrit le 1er décembre 1966 : «Les beatniks tiennent le pouvoir à l'Association des étudiants de Strasbourg, action juridique probable contre eux.» Si les journaux ont quelque difficulté à désigner correctement les situationnistes, deux ans plus tard, leurs formules à l'emporte-pièce, leurs *comics* détournés, leur comportement intransigeant se trouveront en phase avec le mouvement général dont ils formeront une sorte d'avant-garde. Epuisée en deux mois, la brochure est retirée l'année suivante à 10 000 exemplaires. Elle est distribuée à Nanterre au cours du sociologue Henri Lefebvre (pourtant attaqué dans la revue de l'Internationale situationniste), ainsi que la bande dessinée *Le Retour de la colonne Durutti*, conçue par le Strasbourgeois André Bertrand.

Le décryptage des idéologies de la révolte, les surréalistes, les provos hollandais (ci-dessous, leur logo) inspirent les attaques de l'Internationale situationniste. La Commune de Paris (comprise paradoxalement comme la première victoire du pouvoir

prolétarien), les spartakistes de la Révolution allemande de 1918 et, plus largement, l'existence éphémère des Conseils ouvriers dans les mouvements révolutionnaires (conseils que l'Alsace a connus du 11 au 21 novembre 1918, en liaison avec la révolution allemande) constituent des références qu'ils diffusent avec une rare efficacité sous forme d'affiches en lettres blanches sur fond noir et un sens exemplaire du spectaculaire. Ils ont recours à la bande dessinée, dans des revues comme Le Retour de la colonne Durutti ou sur des affiches (au centre, extraits d'une affiche situationniste à Nanterre).

Le 11 janvier 1967 à Strasbourg, le 14 janvier
à Nantes, les Bureaux d'aide psychologique
universitaire (BAPU) – créés par la MNEF (Mutuelle
nationale des étudiants de France), organisme de
gestion de la Sécurité sociale étudiante –, considérés
comme « la réalisation en milieu étudiant du contrôle
para-policier d'une psychiatrie répressive », sont
fermés par les associations locales des étudiants.

L'occupation des cités universitaires

1 200 « résidents » provinciaux habitent la cité
universitaire de Nanterre. Depuis l'origine, une
association de « résidents » (ARCUN) demande la
libre circulation entre les bâtiments. Le 21 mars
1967, le bâtiment des filles est occupé : « La troupe,
essentiellement composée de garçons, se met en
marche vers les bâtiments C et D. Les portes sont
forcées, le veilleur de nuit un peu bousculé, et l'on
monte dans les étages. Jusque tard dans la nuit,
coincés dans les couloirs du cinquième étage, une
soixantaine d'occupants discutent, chantent, jouent
de la guitare. Vers 6 heures du matin, arrivée de
la police… qui renonce à donner l'assaut »,
raconte Jean-Pierre Duteuil, membre de la LEA.

Occupation de la
résidence des filles
le 21 mars (à droite);
manifestations en
avril 1967 à Nanterre.

Ce débordement relativement anodin est pourtant le point de départ d'un mouvement général d'occupation des cités universitaires, à Paris et dans d'autres villes de France, qui mettra fin au règlement obsolète interdisant aux filles les visites masculines.

Cette action correspond à une volonté sans cesse affirmée de ne pas avoir «une sexualité de potache», d'être considéré comme responsable de son

comportement sexuel. La réflexion sur la sexualité traverse l'époque avec une intensité particulière. Elle coïncide en France avec la première loi (loi Neuwirth du 28 décembre 1967) qui sort la contraception de la clandestinité où elle est confinée depuis 1920 et qui inaugure pour les femmes la possibilité d'une vie sexuelle libérée du souci d'une grossesse non désirée et une véritable libéralisation des mœurs.

Un tract du groupe anarchiste de Nanterre annonce une conférence sur «Sexualité et révolution» pour le 17 février 1967 à Paris : «La jeunesse a plus qu'un

Le mouvement d'occupation est repris à Nantes, en mai 1967, avec l'arrivée, au bureau de l'Association des étudiants, d'une nouvelle équipe (Yvon Chotard devient président) influencée par les anarcho-syndicalistes nantais de Force ouvrière et les situationnistes strasbourgeois.
La critique du syndicalisme débouche sur celle de l'enseignement universitaire, «initiation à la domination».
Le 18 décembre 1967, après une seconde occupation de la résidence universitaire (cité Casternau), le président du Bureau des résidents, Juvénal Quillet, est interpellé. Le 23 janvier 1968, des étudiantes occupent la cité Launay-Violette, réservée aux étudiants. Ces actions suscitent la solidarité des syndicats : UNEF, Fédération des résidents universitaires de France (FRUF), SNES, ainsi que CGT, CFDT, FO.

II.Exigé: Nous exigeons la fin d'un ensei
fin du paternalisme primaire, la fin de la
geons la naissance d'un réel dialogue, d'u
étudiants. Nous exigeons que la vie, l'ard

simple droit à l'information, elle a pleinement droit à sa sexualité, on lui a pris ce droit», avec l'intervention de Boris Fraenkel, traducteur en France d'*Eros et civilisation* de Marcuse. Le 21 mars, une conférence sur «Sexualité et répression» par Mᵐᵉ Revault d'Allones est organisée par l'ARCUN. A cette occasion, le manifeste de William Reich *Ce qu'est le chaos sexuel, ce que n'est pas le chaos sexuel* (1936) est réédité. Reich est, à l'époque, la référence essentielle à partir de laquelle le sens politique des comportements sexuels est identifié. «Contraception et répression sexuelle chez les étudiants» sera également l'objet du 20ᵉ congrès de la Mutuelle nationale des étudiants de France, les 4 et 7 avril 1968, à Clermont-Ferrand.

L'autodérision des Enragés de Nanterre, qui se rapprochent des situationnistes, se retrouve dans l'affiche du 20 janvier 1968, «En attendant la cybernétique, les flics.» Les virgules, devenues croix gammées, appuient l'idée selon laquelle le doyen Grappin, germaniste et ancien résistant, est traité de nazi.

Le droit de rendre visite aux résidentes

Le 14 février 1968, jour de la Saint-Valentin, l'UNEF et la FRUF (Fédération des résidents universitaires de France) décident une campagne nationale pour l'abrogation des règlements intérieurs dans les cités universitaires. Le 23 février, Alain Peyrefitte fixe les droits de visite pour les résidents : «Nous disons oui à un élargissement du droit de visite pour les résidents et les résidentes qui ont atteint la majorité. [...] Nous disons non à un principe d'égalité des traitements pour les majeurs et pour les mineurs. [...] Nous disons non à un régime indistinct pour les garçons et pour les filles. [...] Admettre les garçons dans les résidences

EN ATTENDANT
LA CYBERNETIQUE
LES FLICS

Camarades !
Grappin la matraque épaulé par son Bourriaud « soutenu par les argu-ments des Morin & Tournine » a donné la mesure de ce qu'il veut bien «désa-vouer » en plaçant son ghetto et leurs rackets sous la protection de la gen darmerie »
Les Accords du Lutran qui régis vent ce vieux monde et son université materniste auront leur ultima ratio leur raison d'état le recours à la

violence policière éclaire les tions réelles du «dialogue» campus » Abus de confiance « Abus de pouvoir à droite»

« Pour tirer l'esprit du cach «Soufflons nous mêmes notre «Battons le fer quand il est c
(L'Internationa

Nanterre » le 29 janvier 196

t illusoire et sclérosant, la
té des "oies gavées". Nous exi
itable coopération professeur:
a recherche, le vrai travail e

féminines, c'est faire courir à l'ensemble des jeunes
filles des risques qu'on ne peut mesurer. [...] Oui
à la participation, à la gestion des œuvres. [...] Il est
clair que nous devons y regarder à deux fois avant
de risquer de déchaîner les passions. »

Le droit égal de visite, avec la cogestion des œuvres
universitaires, constitue
aux yeux des étudiants
l'essentiel de cette conquête
des responsabilités. Les
concessions du ministre
sont trop minces pour être
acceptées. La contestation
se propage : le 2 mars,
manifestations à Rennes
et Besançon sur ces fameux
règlements; le 13 mars,
grève du restaurant
universitaire d'Antony;
les 15 et 16, manifestations

Démystification caractéristique de la contestation étudiante, un tract du 14 mars, « Nanterre ou la formation d'oies gavées », constate le caractère mécanique, figé et mort de l'enseignement, en exige la fin et prône des examens à livre ouvert (ci-contre, un extrait). Sur le campus, des étudiants devant un panneau de UNEF et de l'AFGEN, où sont affichés des extraits de presse sur les émeutes étudiantes à Caen et leur répression.

Plusieurs tracts parmi les plus significatifs de la période se ressentent de l'influence de l'Université critique de Berlin. « Pourquoi des sociologues? », un tract signé notamment par Daniel Cohn-Bendit et par Jean-Pierre Duteuil,

POURQUOI DES SOCIOLOGUES ?

à Rennes et à Saint-Etienne contre le règlement des
résidences universitaires et contre le plan Fouchet.

L'affaire Langlois et la contestation culturelle

Le 9 février 1968, Henri Langlois, qui règne sur la
Cinémathèque depuis trente-quatre ans, n'est pas
reconduit dans ses fonctions. Aussitôt, 40 cinéastes
– dont Gance, Truffaut, Resnais, Franju, Godard, Marker,
Astruc, Chabrol, Bresson, Renoir – s'organisent en
comité de soutien et interdisent la projection de leurs
films. Manifestation le 18 mars devant le siège de la
Cinémathèque, rue de Courcelles, avec les lycéens et
les étudiants de Nanterre. Manifestation à Grenoble,
le 22 mars. Pierre Mendès France demande des

et distribué à la mi-mars, met en perspective l'évolution théorique de la sociologie avec la crise de Nanterre. La sociologie au service de la croissance, de la rationalisation du capitalisme, celle de Michel Crozier et d'Alain Touraine, sont renvoyées dos à dos au profit d'une position critique qui éclaire la fonction sociale de l'Université.

explications à André Malraux. Langlois sera réintégré dans ses fonctions deux mois plus tard. Cette affaire est le coup d'envoi de la contestation dans les institutions culturelles.

Le soir du 22 mars, le Manifeste des 142 est voté à l'issue de l'occupation de la tour administrative.

Le Mouvement du 22 mars

La formation du Mouvement du 22 mars, composante importante du mouvement de protestation, est la conséquence imprévue d'une manifestation sur le Viêt-nam qui tourne mal. Le 20 mars, 300 militants (CVN et JCR) brisent les vitrines de l'American Express, dans le quartier de l'Opéra; des arrestations ont lieu. Le 22, aucune libération n'étant intervenue, l'occupation de la tour administrative de Nanterre est décidée. Les débats qui ont débouché sur cette décision sont connus, puisque enregistrés sur le moment et reproduits dans *Le Mai retrouvé* de Jacques Baynac.

Un tract est rédigé au titre lourd de symbole «Le Manifeste des 142», en souvenir des 121 écrivains, artistes et universitaires qui approuvèrent le droit à l'insoumission dans la guerre d'Algérie (septembre 1960), signifiant par là une symétrie entre

l'engagement étudiant au moment de la guerre d'Algérie et le soutien au FNL de la guerre du Viêt-nam. Ce Manifeste des 142 est en fait un simple appel à une journée de débat qui doit avoir lieu le 29 avril. Les thèmes en sont : « Le capitalisme en 1968 et les luttes ouvrières, l'Université et Université critique, la lutte anti-impérialiste, les pays de l'Est et les luttes ouvrières et étudiantes dans ces pays. » Cette alternance entre les thèmes anti-impérialistes et la critique de l'Université marque tous les tracts de Nanterre, comme si la critique de l'Université était insuffisante pour accéder à cet

A l'instar du 22 mars, d'autres regroupements se forment sur ce modèle conjoncturel : ainsi le Mouvement du 25 avril à Toulouse, à l'occasion d'un débat sur les événements de Nanterre, qui dégénère en affrontement entre étudiants d'extrême droite et d'extrême gauche, amenant la police, sur ordre du recteur.

universel que symbolisent les luttes anti-impérialistes ou la solidarité internationale.

Les conflits que Nanterre connaît pendant l'année 1967-1968 mobilisent de nouvelles recrues très recherchées par les états-majors des « groupuscules ». Ainsi, l'UJCML, qui vient à Nanterre où doit se tenir, le 2 mai, une journée anti-impérialiste. Ce groupe maoïste, dont les membres les plus éminents appartiennent aux Ecoles normales supérieures (rue d'Ulm et Saint-Cloud), s'est déplacé pour organiser la défense du campus selon les méthodes de combat vietnamiennes, ce qui, selon Jean-Pierre Duteuil, demeure totalement incompréhensible pour les étudiants de Nanterre, dont la force est d'intervenir dans des situations concrètes.

A la faculté des lettres de la Sorbonne, naît le MAU (Mouvement d'action universitaire), à l'initiative de militants de la Fédération des groupes d'études de lettres, tendance dite Gauche syndicale. Le 29 mars, est organisée une rencontre sur les luttes étudiantes en Europe que le recteur Roche interdit. Le MAU est

Le tableau de Jean-Jacques Lebel, *Parfum Grève générale bonne odeur*, de 1960 (page de gauche), conçu dans le contexte de la guerre d'Algérie, à laquelle le Manifeste des 142 fait référence, est une préfiguration des événements politiques majeurs de Mai 1968.

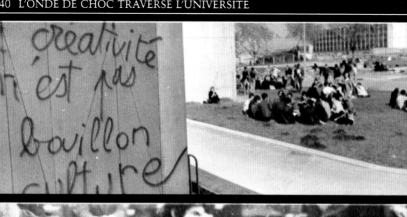

“Monsieur le Recteur, Dans la citerne étroite que vous appelez «Pensée», les rayons spirituels pourrissent comme de la paille. [...] Laissez-nous donc, Messieurs, vous n'êtes que des usurpateurs. De quel droit prétendez-vous canaliser l'intelligence, décerner des brevets de l'Esprit? Vous ne savez rien de l'Esprit. Vous ignorez ses ramifications les plus cachées et les plus essentielles, ces empreintes fossiles si proches des sources de nous-mêmes, ces traces que nous parvenons parfois à relever sur les gisements les plus obscurs de nos cerveaux. Au nom même de votre logique, nous vous disons : la vie pue, Messieurs.”

Antonin Artaud

[Cette lettre prémonitoire d'Artaud (1896-1948) est distribuée par tract à Nanterre, puis partout, en mai. Ci-contre et ci-dessus, assemblées et graffiti à Nanterre.]

aussi à l'origine d'un tract distribué le 2 mai : «Pour la première fois dans l'histoire de l'Université, les enseignants de la Sorbonne annoncent publiquement leur intention de refuser de corriger les examens cette année», canular qui oblige l'administration à démentir. Le 2 mai, le groupe d'extrême droite Occident déclenche un incendie dans le local de la FGEL-UNEF.

L'intransigeance des autorités

Le 22 mars, le conseil de faculté de Nanterre vote, parmi d'autres mesures répressives, l'abandon des franchises universitaires. Le 27 mars, Daniel Cohn-Bendit est interpellé sur plainte d'un étudiant. Par ailleurs, une information judiciaire est ouverte à cause du premier *Bulletin du 22 mars*, qui donne la composition du cocktail Molotov et signale que les portes du bâtiment administratif venaient d'être blindées. Conflits et incidents se multiplient.

L'intransigeance des autorités, la deuxième fermeture de l'université décidée le 2 mai par le recteur Grappin et la convocation de 8 étudiants au conseil de discipline de l'Université de Paris, vont amener les contestataires à sortir de leur campus. Le 3 mai, dans la cour de la Sorbonne, 400 à 500 personnes se rassemblent; les orateurs se succèdent.

La publicité donnée à l'affaire du premier *Bulletin du 22 mars* (ci-dessus, le dessin donnant la recette du cocktail Molotov) va pousser les étudiants hors du campus de Nanterre.

La police, sur requête du recteur soucieux d'assurer la «liberté des examens» et de maintenir pour ce faire la Sorbonne fermée, pénètre dans l'université et procède à des arrestations qui sont à l'origine des premiers affrontements violents au Quartier latin : pavés et panneaux de signalisation arrachés, voitures mises en travers de la chaussée comme remparts aux grenades lacrymogènes, près de 600 personnes interpellées. Georges Marchais, dans *L'Humanité* du 3 mai, sous

le titre «De faux révolutionnaires à démasquer», dénonce le Mouvement du 22 mars «dirigé par l'anarchiste allemand Daniel Cohn-Bendit».

Samedi et dimanche 4 et 5 mai, 13 étudiants ayant été pris en flagrant délit comparaissent devant la Xe chambre du tribunal correctionnel de Paris. De l'aveu même du préfet de police Maurice Grimaud, «les condamnations sont exceptionnellement sévères en matière de manifestation. Quatre se voient infliger deux mois de prison ferme».

La police à l'université : le 2 mai, fermeture de Nanterre (ci-dessous, les cars sur le campus); le 3 mai, intervention des forces de l'ordre pour évacuer la Sorbonne où se sont regroupés les étudiants de Nanterre (page de gauche).

Cohn-Bendit, traité d'«anarchiste allemand» dans *L'Humanité* du 3 mai, devient Rudi le Rouge dans le numéro du journal *Minute*, du 3 au 6 mai 1968 : «Ce Cohn-Bendit qui, parce qu'il est Juif et Allemand, se prend pour un nouveau Karl Marx.» L'article se termine ainsi : «Nous n'abandonnerons pas la rue à la chienlit des "Enragés".»

L e 6 mai 1968, l'agitation nanterroise se transporte à .
Les manifestations se succèdent dans la capitale, et bientôt, par ef.ct de solidarité, en province. La répression est la seule réponse apportée par les autorités aux attentes des étudiants. Elle cimente leur colère.

CHAPITRE 3

BAGARRES ET BARRICADES : L'AFFRONTEMENT

L e drapeau noir des anarchistes réapparaît en force, souvent couplé avec des drapeaux rouges, dans les manifestations et sur les bâtiments publics où il symbolise la confiscation de l'autorité (ci-contre, le drapeau noir à l'ex-Théâtre de France occupé; page de gauche, le 6 mai : confrontations entre les étudiants et les forces de l'ordre).

«Je vous récuse parce qu'aujourd'hui je n'ai pas en face de moi mes professeurs, mais des hommes qui ont accepté de faire le travail des CRS» : c'est en ces termes que Michel Pourny, militant de l'UNEF et membre de la FER, un des huit étudiants de Nanterre – dont Daniel Cohn-Bendit, Jean-Pierre Duteuil et René Riesel – comparaissant le 6 mai devant la commission disciplinaire à la Sorbonne, récuse son autorité. Paul Ricoeur, Alain Touraine et Henri Lefèbvre les accompagnent pour assurer leur défense

Daniel Cohn-Bendit, avant le conseil de discipline, le 6 mai.

devant la commission présidée par Robert Flacelière, directeur de l'Ecole normale supérieure et composée des doyens des universités de Paris.

Le Quartier latin, zone interdite

Alors que la police interdit les abords de la Sorbonne, une manifestation a lieu au moment où se déroule ce conseil de discipline. Refoulés jusqu'au boulevard Raspail, Saint-Germain-des-Prés et devant le Sénat, les étudiants se réunissent devant la faculté des sciences de la Halle aux vins; de là, ils se dirigent vers la place

Les policiers chargent par vagues successives, les manifestants font chaque fois front, mettant des obstacles en travers de la chaussée, obligeant ainsi leurs poursuivants à marquer des temps d'arrêt dont ils profitent pour lancer des volées de pavés.

Lors des affrontements violents du 6 mai, des journalistes (ici, *Le Monde* du 8 mai) ont vu, à tort, au lieu de l'utilisation du pavé comme projectile, la construction des premières barricades.

des Victoires pour refluer ensuite vers le Quartier latin; ils sont de nouveau refoulés par les charges de police vers le boulevard Saint-Germain. Une seconde manifestation appelée par l'UNEF se regroupe à Denfert pour ensuite rejoindre la place Saint-Germain. Dans les deux cas, ce sont des jeunes qui se rassemblent. La mobilisation des lycéens, en effet, a suivi une ascension comparable à celle

A Berlin, Francfort, Liège, des manifestations de solidarité révèlent le caractère international du conflit qui vise à affaiblir l'autorité des Etats. Ci-dessus et pages suivantes, la journée du 6 mai.

du mouvement étudiant. Le bilan de ce 6 mai est lourd : 422 arrestations et de nombreux blessés.

Cette journée préfigure, à quelques variantes près, le scénario des jours suivants. Avec la fermeture de la Sorbonne, le Quartier latin est interdit aux étudiants qui ne cesseront de tourner autour pour le reconquérir ou marquer leur territoire.

Au nom de l'indépendance de l'Université

Car les franchises universitaires ne sont pas pour eux une idée abstraite : les lieux d'enseignement sont dotés d'une extraterritorialité qui suspend les fonctions répressives de l'Etat. L'affrontement entre étudiants et gouvernement a pour objet de litige les limites de la souveraineté de l'Etat et c'est l'illégitimité des décisions prises qui rassemble tous les jours de plus en plus de

manifestants. L'objectif des manifestations de province du 6 mai est en général mal dégagé : simple rassemblement dans les universités, débats à Montpellier, simples doléances pacifiques à Aix-en-Provence, grève totale à Clermont-Ferrand, affrontement avec les forces de l'ordre à Grenoble, cortège vers la préfecture à Caen, ou encore, appel à l'union des étudiants, des ouvriers et paysans à Nantes.

Le mardi 7 mai, la manifestation partie de la place Denfert-Rochereau fait diversion place de l'Etoile où un groupe chante l'*Internationale* devant la tombe du Soldat inconnu, avant de tenter de revenir sur le Quartier latin où des accrochages se produisent : 434 personnes sont interpellées dont 17 maintenues en état d'arrestation. Le journal *Action*, dans son premier numéro, lance un appel à la grève générale et à l'insurrection parisienne.

A Toulouse, sous la présence menaçante des étudiants d'extrême droite, le principe d'une grève illimitée est adopté. On réclame la libération des étudiants parisiens, la fin de l'intervention policière au sein de l'Université et la liberté d'expression étendue aux lycéens. Un pétard au soufre tombé de la verrière de l'amphithéâtre abrège le rassemblement et provoque une panique, d'où une manifestation

La grève du 13 décembre 1967 dans 8 établissements parisiens, puis l'agitation entraînée par l'exclusion d'un élève du lycée Condorcet le 20 janvier 1968 ont contribué à organiser les lycées en Comités d'action lycéens. Encore peu nombreux, les CAL développent une action contre les lycées casernes, la sélection, l'absence de liberté d'expression. Les lycéens seront de toutes les manifestations (ici, le 7 mai, le départ de Denfert-Rochereau).

Le 8 mai, dans l'Ouest, les consignes de grève pour la défense de l'emploi sont largement suivies. A Nantes, le mouvement de grève est total dans la métallurgie, l'industrie alimentaire et chimique, le bâtiment; les transports urbains ne fonctionnent pas. Au Mans, la grève débute dès le mardi soir au centre de tri postal mais dans les usines, le mot d'ordre de grève n'est pas donné; un drapeau américain est brûlé à Brest où 12 000 personnes se sont rassemblées. A Marseille, 3 000 personnes défilent.

vers le rectorat aux cris de «Recteur, démission». La police charge. Alain Alcouffe, président démissionnaire de l'AGET-UNEF, est passé à tabac. A Lille, 3 000 étudiants défilent, à Rennes 4 000; à Strasbourg, débat entre le recteur et les étudiants; à Bordeaux, le SNE-Sup annonce la grève des enseignants; à Nantes, la grève est suivie à 85 % en Lettres et en Sciences; à Lyon, grève en Lettres, en Sciences et à l'Institut national des sciences appliquées; au Mans, des étudiants bloquent la route de Rennes.

Appels au calme, inculpations

Le mercredi 8 mai, l'incertitude plane sur la réouverture de la Sorbonne et les négociations viennent contredire les paroles optimistes d'Alain Geismar qui déclare que «la Sorbonne sera le soir même aux étudiants et aux enseignants».

Les intercessions en faveur d'un apaisement se multiplient : appel des cinq prix Nobel – «Pour que la raison l'emporte», écrit le physicien Alfred Kastler –; formation d'un comité de soutien aux étudiants frappés par la répression, à l'initiative d'un groupe d'écrivains et de philosophes dont Simone de Beauvoir, Jean-Paul Sartre et le militant anarchiste et historien Daniel Guérin. Le ministre de

«Pour que notre révolte ne soit pas la révolte d'un jour, il faut que naisse un mouvement ample, unitaire à la base et organisé.» Les comités regrettent que «l'organisation ne soit pas encore à la hauteur de la magnifique mobilisation qui se réalise». Ci-dessus, le numéro 1 d'*Action*.

l'Education nationale, Alain Peyrefitte, adopte une attitude dilatoire.

Les 17 personnes appréhendées le lundi 6 mai sont inculpées pour violences, outrages à agents et port d'armes prohibées. En marge de ces inculpations, des poursuites pour vol sont engagées contre 4 personnes condamnées de six à huit mois de prison. L'agitation gagne les lycées et les professeurs du secondaire. L'Assemblée nationale modifie son ordre du jour pour débattre des problèmes de l'Université; quant aux manifestations, la situation stagne et toujours le même face-à-face réitéré avec les forces de l'ordre qui défendent l'accès au Quartier latin.

La journée du jeudi 9 mai est sous le signe d'un relatif apaisement. A la pression des milieux universitaires, pour qui la réouverture de la Sorbonne s'impose, répond l'entêtement du ministre de l'Education qui se garde de l'autoriser : seuls les candidats à l'agrégation peuvent y pénétrer.

En province, le mouvement continue : grève totale en Lettres à Clermont-Ferrand, défilé de 4 000

étudiants et jeunes ouvriers de la CFDT à Lyon; défilé avec les centrales syndicales ouvrières à Dijon; occupation de la faculté des sciences à Rennes...

La Nuit des barricades à Paris

La réouverture de l'université de Nanterre, le 10 mai à 9 heures, et la reprise des cours en Lettres n'ont pas apaisé les esprits; et les tensions entre grévistes et non-grévistes s'exacerbent. Les professeurs du SNE-Sup décident de ne pas faire passer les examens tant que les étudiants arrêtés ne sont pas amnistiés. A l'appel de leurs syndicats, les professeurs du secondaire se mettent en grève.

En fin de journée, les étudiants et les lycéens se rassemblent place Denfert-Rochereau; un parcours est décidé, le cortège passera devant la prison de la Santé puis se dirigera vers l'ORTF. Vers 20 heures

« Paris 1968 ou Paris 1871 ? » questionne *Barricades*, le journal des CAL (à gauche). « La guerre sociale, dont la Commune est un moment, dure toujours », écrit l'Internationale situationniste dès 1962. C'est au nom de cette croyance que lycéens et étudiants de 1968 peuvent, à travers la construction de barricades, vivre cette identification à 1871.

Le 9 mai, devant la Sorbonne fermée, rassemblement pour réclamer la libération des étudiants arrêtés (ci-dessus).

cependant, il s'engage rue Monge pour gagner le
boulevard Saint-Germain : la seule issue offerte
par les forces de l'ordre est de remonter le boulevard
Saint-Michel dont le pont n'est pas gardé.
La consigne d'occuper le Quartier latin est donnée.

   Qui prend l'initiative de la construction
des soixante barricades, de cette frénésie
qui s'empare des manifestants dans la recherche
des matériaux pour renforcer constamment des
échafaudages qui font plus de deux mètres? Nul
ne le sait. La première barricade s'élève rue Le Goff
vers 21 h 15. Très vite, rue Royer-Collard, rue Saint-
Jacques, rue des Irlandais, rue de l'Estrapade, à l'angle
des rues Claude-Bernard et Gay-Lussac, au carrefour
des rues Saint-Jacques et des Fossés-Saint-Jacques,
tout le périmètre immédiat de la Sorbonne
se couvre de ces constructions faites en général
d'une première rangée de pavés, de voitures

Le Pavé, publié
fin mai par un
Comité d'information
révolutionnaire,
aura un seul numéro
(ci-dessous), dont la
première page est
illustrée par Topor.

renversées, de grilles d'arbres et de matériaux
divers, prélevés sur place dans des chantiers.
La Nuit des barricades du 10 mai reste
un phénomène exclusivement parisien.

«On avait envie de faire des barricades»

Ces barricades constituent une ceinture
d'autodéfense autour de la Sorbonne en
coupant les rues transversales et marquent
le territoire enlevé. Ce geste de
réappropriation, dramatisé par les reportages
en direct des radios et les photographies qui
très vite vont lui donner une
dimension esthétique, détient
une force d'exemplarité sans
commune mesure avec leur
capacité logistique : l'enjeu
n'est pas de tuer. Les
barricades ont-elles été
l'agent d'une transformation
des étudiants en révolutionnaires
combattants? Non, selon Herbert Marcuse
– de passage à Paris à l'occasion du cent
cinquantième anniversaire de la naissance
de Karl Marx –, pour qui «le mouvement
étudiant ne correspond pas à une situation
révolutionnaire ni même prérévolutionnaire».

   Le rôle de la référence historique, acteur
inconscient de cette Nuit des barricades,
mérite néanmoins que l'on s'y arrête.
On s'accorde à y voir un souvenir des combats
de 1830 ou de juin 1848 alors que précisément
ces références, peut-être trop liées à l'histoire
nationale républicaine, manquent dans
les tracts. Par contre, la Révolution française,
la Commune de Paris et la Révolution russe
y coexistent. L'occultation de l'histoire
républicaine donne aux événements de Mai
leur configuration profonde puisque
c'est au nom de la République que la majorité
gaulliste reprendra l'initiative politique
et que, plus ponctuellement, la manifestation
syndicale du 13 mai réinvestira la place de la

République contournée par les manifestations étudiantes. En fait, pour les acteurs de Mai 68, l'histoire se dit à travers une continuité.

Pour Daniel Cohn-Bendit, cette compulsion barricadière n'avait pas grand sens stratégique et, visiblement, signifiait autre chose : «Tout le monde faisait n'importe quoi sans savoir. Dans la rue Gay-Lussac, il y avait dix barricades les unes derrière les autres. Ça n'avait aucune signification militaire, on avait envie de faire des barricades.»

Pompidou conciliant

La journée du 11 mai commence tôt pour les membres du gouvernement. Le général de Gaulle reçoit à 6 heures du matin Joxe, Fouchet, Foccard et Messmer. Le Premier ministre Georges Pompidou, tout juste revenu d'Afghanistan, tente de calmer le jeu : «Je demande à tous et, en particulier, aux organisations syndicales représentatives d'étudiants, de rejeter les provocations de quelques agitateurs professionnels et de coopérer à un apaisement rapide et total.» Il annonce que la Sorbonne sera rouverte à partir du 13 mai

La barricade de 1968 gardait de celle de 1848 ce caractère de trait d'union avec les habitants du quartier qu'elle était censée défendre; mais il ne s'agissait pas d'une solidarité devant le risque ou la décision de mourir ensemble, plutôt une fusion à travers les gestes collectifs de la construction, entraînant l'adhésion des habitants aux événements et une forme de convivialité : «Les rapports avec la population étaient très clairs : tous les gens aux fenêtres et les commerçants nous filaient à bouffer. C'était la fête, le défoulement», écrit Daniel Cohn-Bendit. Philippe Labro remarque également cette solidarité de l'environnement, que l'on retrouve traditionnellement à diverses époques dans la construction des barricades : « Les riverains viendront bavarder avec les étudiants, mais vers deux ou trois heures du matin, les étudiants resteront seuls. » (Ci-contre et pages précédentes, barricades rue Gay-Lussac, dans la nuit du 10 au 11 mai 1968.)

et demande la libération des étudiants arrêtés,
libération qui sera ordonnée dès le lendemain.
Le déroulement normal des examens est prévu pour
les 13 et 14 mai.

Cependant, les dirigeants de la CFDT, de la CGT et
de la FEN décident de lancer un ordre de grève générale
pour la journée du 13 mai. S'y associent bientôt
l'UNEF et le SNE-Sup. De nombreux communiqués
expriment leur solidarité avec les étudiants. Une telle
polarisation laisse présager de la candidature des
partis à la succession et la récupération politique du
mouvement étudiant. D'ailleurs, le groupe maoïste
l'UJCML ne s'y trompe pas. Absent depuis le 7 mai
du Quartier latin, hostile aux barricades de la grande
nuit du 10 au 11 mai, il réapparaît et distribue un

Emblème
de l'Université
autonome de
Strasbourg.

tract intitulé «A bas le régime gaulliste antipopulaire» où l'on peut lire : «Les étudiants aussi ont porté des coups à ce régime de répression. Mais les politiciens socialistes, les nouveaux arrivistes de la gauche, utilisent à fond les confusions et les inconséquences d'un mouvement petit-bourgeois. [...] Brisons le contre-courant social-démocrate.»

Le même jour à Strasbourg, l'autonomie de la faculté est proclamée. Plus qu'ailleurs sous l'influence du modèle allemand, le mouvement étudiant trouve dans cette proclamation l'aboutissement de l'activité critique qui le caractérise. Un appel à la grève générale (le 9 mai), suivi par la plupart des facultés, une entrée en scène des lycéens rendent possible cette décision d'autonomie. Quatre fonctions – qui restent aujourd'hui encore d'une impressionnante actualité – sont énoncées : développement d'une culture critique, et surtout d'une formation permanente pour

DÉSOLATION A
QUARTIER LATIN

après les assauts sur les barricades
entre étudiants et policiers
Très nombreux blessés • 400 arrestations

L e lendemain de la première Nuit des barricades (à gauche, la rue Gay-Lussac le matin du 11 mai et ci-dessous, à gauche), la Une des journaux est des plus inquiétantes : «Nuit tragique au quartier latin» (*France-Soir*, ci-dessus). Dans la population, les rumeurs les plus alarmistes circulent sur les événements de la nuit, notamment à propos des gaz utilisés par la police.

L e récit que le préfet de police, Maurice Grimaud, fait de la reconquête des barricades insiste sur les précautions tant psychologiques que tactiques qu'il dut mettre en œuvre pour éviter dérapages et débordements : «Nous avions donné des instructions très précises à nos fonctionnaires quant à la façon d'attaquer les barricades. L'intervention devait être massive et soutenue. Il ne s'agissait pas de charger au pas de gymnastique.»

les scientifiques, ouverte à tous, et d'une formation professionnelle dont le doyen Zamansky, de la faculté des sciences de Paris, avait signalé l'absence. Une conception de l'Université directement opposée à son fonctionnement fondé sur le respect napoléonien des hiérarchies.

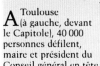

**station du 13
le d'un jour** *ont mis en accusation l*

indignation devant les
es, les syndicats se sont joints aux
étudiants et aux ouvriers pour défiler à Paris et en
province. Cortège immense dans la capitale, près d'un
million selon les organisateurs et sans débordements,
le défilé de République à Denfert durera cinq
heures. Son caractère tranquille rompt avec les

À Toulouse
(à gauche, devant
le Capitole), 40 000
personnes défilent,
maire et président du
Conseil général en tête.

manifestations étudiantes de la semaine précédente.
Aux slogans «Libérez nos camarades», «CRS SS»,
«10 ans ça suffit», «La victoire est dans la rue»,
s'ajoutent des mots d'ordre tels «Le pouvoir recule,
laissons-le tomber», «Gouvernement populaire»,
«De Gaulle aux archives», «Adieu De Gaulle».

En province, les cortèges rassemblent aussi une
population nombreuse : à Saint-Brieuc, 2 000 personnes
sont dans la rue; à Caen, 7 000; à Lyon, 35 000;
à Toulouse, 40 000; à Limoges, 6 000; à Clermont-
Ferrand, violents accrochages entre étudiants et
forces de l'ordre; à Marseille, près de 50 000
manifestants; à Strasbourg, 12 000...

Les consignes de grève générale sont diversement
suivies mais, par l'ampleur et la résolution de
la mobilisation, cette journée est jugée suffisante
par les syndicats qui n'envisagent aucune suite
à cette démonstration de force.

d'une ampleur exceptionnelle

GRÉVISTES
...ANTS
...oir gaulliste

La Sorbonne occupée, «ouverte jour et nuit à tous les travailleurs»

Ce même 13 mai, dès 8 heures du matin, la Sorbonne à peine ouverte est occupée par les étudiants. L'annexe de Censier l'est depuis le 11. «La Sorbonne est ouverte en permanence aux travailleurs, l'Assemblée générale du 13 mai décide que l'Université de Paris est déclarée université autonome, populaire et ouverte en permanence, jour et nuit, à tous les travailleurs. L'Université de Paris sera désormais gérée par les comités d'occupation et de gestion constitués par les travailleurs, les étudiants et les enseignants.» Cet acte d'ouverture est vécu comme une aventure exaltante à laquelle sont conviés les enseignants du primaire et du secondaire.

La manifestation du 13 mai rassemble des millions de personnes à Paris et en province (au centre, à la République; ci-dessous, Alain Geismar, Daniel Cohn-Bendit et Jacques Sauvageot). Les consignes de grève sont diversement suivies. Les transports aériens connaissent de fortes perturbations; les services administratifs de la Ville de Paris sont en grève de 5 à 50 %; à la SNCF, les principales perturbations ont lieu dans la banlieue parisienne; le courrier n'est distribué que dans les zones rurales. Tous les théâtres nationaux sont fermés. Dans l'industrie, le pourcentage de grévistes est peu élevé : aux usines Renault de Flins et du Havre, 90 % des effectifs au travail et au Mans, arrêt total du fait des piquets de grève. Grève totale à la Rhodiaceta de Besançon. 90 % des mineurs du Nord suivent la grève. Partout, de très nombreuses usines restent fermées à cause de la grève EDF.

La Sorbonne occupée

Le plan d'occupation du bâtiment est dressé, chaque salle est attribuée à un comité particulier. Entre ces comités, règne parfois une certaine animosité, des rivalités groupusculaires. Ce qui prime cependant, à la lecture des tracts, c'est le parallélisme établi entre l'action ouvrière et l'action étudiante : « 1936 : les ouvriers occupent les usines, 1968 : les étudiants occupent les facultés », proclame un tract du 14 mai, signé Comité d'action. Empruntés aux formes de la démocratie directe, les comités d'action dans des domaines diversifiés – l'université, les quartiers, les entreprises – doivent assurer le lien entre le monde étudiant et les autres secteurs de la vie sociale. L'Assemblée générale est censée concentrer tous les pouvoirs de la Sorbonne occupée, nommer et révoquer le Comité d'occupation. Ce mode d'organisation, même limité à une Sorbonne libérée de l'Etat, veut s'inspirer de l'organisation en conseils, espaces collectifs de délibération et de décision. Sur ces pages, la Sorbonne occupée, à l'extérieur et à l'intérieur, le jour et la nuit.

L'ex-Théâtre de France

Le 15 mai, sous l'impulsion de Jean-Jacques Lebel (en haut, à gauche), initiateur des happenings en France, un millier d'étudiants envahit le théâtre de l'Odéon qui se transforme en forum. Jean-Louis Barrault (ici, avec les étudiants; à gauche, Madeleine Renaud), son directeur, évoque le caractère international du théâtre, en vain. Le ministère de la Culture lance des ordres contradictoires : dialogue le 15; évacuation le 20; liberté d'occuper le lieu de travail le 21; coupure d'électricité et de téléphone le 22. L'évacuation se fera sans douleur le 14 juin.

NI DIEU NI MAÎTRE

Supports-surfaces, les graffiti

Nanterre, Censier, la Sorbonne, l'Odéon sont
le terrain de prédilection de cet art éphémère
du graffiti qui est certes une forme artistique
très ancienne mais qui, dans la circonstance,
devient le symbole de l'esprit contestataire :
exposé aux yeux de tous, lisible par tous,
tracé par des mains anonymes, intégrant
le support dans le message. Comment
s'étonner de retrouver, sur ces édifices
dévolus à la transmission de la culture (puis ensuite
dans la rue), autant de réminiscences d'écrivains

– Rimbaud, Tzara, Char, Artaud, Breton, Marx –,
de jeux de langage empruntés à des techniques
poétiques (le «cadavre exquis» des Surréalistes)
ou encore d'énoncés volontiers paradoxaux sortis
tout droit de réflexions philosophiques sur le réel,
l'impossible et l'inconscient. Art savant jouant
sur l'arbitraire du signe pour dévoiler de nouveaux
horizons («Des veaux, dévots, des votes», Sorbonne,
hall Richelieu), le graffiti soixante-huitard
dans ses plus belles réussites se situe d'emblée
au-delà des idéologies partisanes, court-circuitant
le discours militant répétitif par l'introduction
d'une dimension existentielle propre à son temps.

Le révolutionnaire du XIXe siècle,
le constructeur de barricades
de 1848 n'aurait pas pu écrire
«Dessous les pavés, la plage»,
car il ne ressentait pas la nostalgie
des vacances, ni celle de la caresse
du soleil.

Des affiches-mots d'ordre

En revanche, la production artistique
des ateliers des Beaux-Arts et des
Arts décoratifs à Paris se situe dans une perspective
de contrôle qui se veut strict, malgré les groupes de
pression. L'atelier populaire présente ainsi son

Les graffiti de 68, en
proposant d'autres
références, entrent
en concurrence
avec l'«écriture
exposée» officielle,
celle des
monuments
et des publicités.

omment
jets d'affiches,
s une analyse
nts de la
cussions
nt proposés
en fin de journée
semblée générale. […] L'idée
politique est-elle juste? L'affiche
transmet-elle bien l'idée? Puis
les projets acceptés sont réalisés en
sérigraphie et lithographie par des
équipes qui se relaient nuit et jour. »
En occupant, le 14 mai, l'atelier des
Beaux-Arts de Paris, le mouvement
contestataire entend se doter d'un
instrument de propagande, illustrer
les luttes et répondre à la demande.
Cette production anonyme,
compréhensible au premier coup
d'œil, volontiers textuelle, après
avoir été tirée (tirage variable selon
les dates), est rééditée par des
imprimeurs. Le relais que
les écoles des beaux-arts de
province pouvaient offrir à
ces œuvres est encore ignoré.
S'agissait-il d'imiter Paris à
quelques variantes près ou de
créer de nouvelles affiches
et dans quelle proportion?
Dans le midi de la France,
on voit apparaître quelques
affiches en occitan
assurément originales.

L'olympe des vedettes est aussi occupée

Ouvert sur la projection
d'*Autant en emporte le vent*
de Victor Fleming, le Festival
de Cannes s'arrête le 20 mai
après l'intervention du

Comité de défense de la Cinémathèque bien décidé à faire appliquer la consigne votée aux Assises permanentes du cinéma, réunies à Paris dans l'école de la rue de Vaugirard. Le retrait de la compétition de plusieurs cinéastes et surtout celui de cinq membres du jury – Louis Malle, Monica Vitti, Roman Polanski, Terence Young et Serge Roulet pour les courts métrages – mettent le Festival dans l'impossibilité de continuer.

Dans les affiches, la part du texte est très importante. Un style général ressort malgré la différence des sujets traités. Ci-dessus et page de gauche, l'atelier de sérigraphie de l'ex-Ecole des Beaux-Arts.

NOUS SOMMES TOUS
INDÉSIRABLES

se soumettre
ou
resister
et
vaincre

LA LUTTE CONTINUE

LA CHiENLiT C'EST LUI !

"N...
cette a...
à gauche...
version ...
tous des ...
Allemand... trop
violente, voire raciste,
par l'assemblée générale
de l'atelier populaire
des Beaux-Arts.
Les femmes sont les
grandes absentes des
affiches de Mai 68. A
Toulouse cependant, une
affiche, «Se soumettre
ou résister et vaincre
le capitalisme», avec
un visage de femme, se
retrouvera dans tous
les moments clés que
connaîtra le mouvement
localement. L'affiche la
plus populaire de Mai
68, est celle du général
de Gaulle : «La
chienlit, c'est lui!»
(ci-contre, en haut).
L'archaïsme du mot
(qui remonte à 1534)
fait mouche et
déchaîne un flot
de commentaires
et d'images. «CRS SS»,
ce mot d'ordre, repris
en affiche (ci-contre),
en slogan dans les
manifestations et en
graffiti, que l'on croyait
typiquement soixante-
huitard, date en fait de
1948. On le voit peint
sur les corons, dans
*La Grande Lutte
des mineurs*, film de
Louis Daquin, réalisé
dans le contexte des
grèves violentes de
novembre et décembre
1947. Le double visage
de De Gaulle-Hitler
(en bas, à gauche) fait
partie du discours
de l'inversion propre
à la période.

« L'issue de la crise actuelle est dans les mains des travailleurs eux-mêmes.» Le 19 mai, le premier rapport d'occupation de la Sorbonne, d'inspiration situationniste, déclare la fin de la lutte étudiante au profit d'un mouvement d'occupation d'usines. La province prend l'initiative de ce mouvement qui va très vite s'étendre à la France entière.

CHAPITRE 4

LA TACHE D'HUILE

Le 16 mai, le Comité d'occupation de la Sorbonne avait constaté le début du mouvement de grève ouvrière avec occupation et appelé à sa généralisation. Ci-contre, les précurseurs : à gauche, Sud-Aviation-Bouguenais, en Loire-Atlantique, dès le 14 mai; à droite, Renault-Cléon, en Normandie, dès le 15 mai.

La radicalisation du conflit n'a pas été délibérée, elle n'est pas provenue d'un centre. Personne n'en a prévu l'issue. C'est une sorte d'enchaînement d'actes qui comportent chacun une marge d'incertitude. La généralisation de la grève, au niveau national, comporte aussi les mêmes incertitudes. Il serait mythique de considérer le déclenchement de cette grève générale comme un mouvement unanime dont le caractère spontané finirait par faire oublier la série de multiples décisions dont elle fut la résultante. Ce phénomène de contagion, de proche en proche, s'explique néanmoins par le poids symbolique des

Sud-Aviation-Bouguenais (ci-dessus, avec un bulletin de vote pour ou contre l'occupation, et page de droite).

usines qui furen
premières occup
usines phares po
les ouvriers : apr
Aviation-Bougue
Renault-Cléon, n
tout de même R
« Ces deux noms
signifient quelqu
chose. Ils parlero
d'eux-mêmes fortement
aux oreilles ouvrières de
France », écrit François
Le Madec.

L'initiative des occupations d'usines revient à la province

Le 14 mai 1968, après un conflit déjà commencé
depuis le 9 avril, les ouvriers de Sud-Aviation-

Bouguenais, près de Nantes, occupent leur usine
et séquestrent le directeur, qui sera libéré le 29 mai à
17 heures. Le 15 mai, grève et occupation à Renault-
Cléon, à l'initiative de jeunes ouvriers de moins de

76 LA TACHE D'HUILE

vingt ans sous con
se généralise che
de Rouen, de
Lyon. Le m
le 18 ma
le 19 m
la

surveiller les issues. »

Des études
historiques
régionales montrent
bien l'extension du
mouvement de grèves
de 1968. Ainsi, dans la
région de la Somme :
« Les entreprises du
département entrent
en grève le 17 mai au
rythme du pays tout
entier. La grève débute
au centre SNCF
d'Amiens-Longueau,
près d'Albert, et chez
Saint-Frère à Flixecourt.
Elle s'étend à l'initiative
des syndicats, dès le
lendemain, chez
Goodyear et Dunlop à
Amiens et aux Cuivres
et Alliages de Ham,
avec dans les deux
derniers cas le dépôt
préalable d'un cahier
de revendications
à la direction.
Le mouvement se
généralise le 20 mai
et se développe
à un rythme soutenu
jusqu'au jeudi; il se
stabilise à un niveau
record évalué par
l'Union départementale
CGT à 100 000
grévistes » (S. Fruitier).
En haut, affiche
situationniste pour
l'occupation des usines.

...at provisoire; le 16 mai, la grève ...z Renault, mais aussi dans la région ...Nantes, autour de Paris, à Rhodiaceta à ...ouvement s'étend le 17 mai : SNCF, PTT; ..., les Houillères, début de la grève à la RATP; ...mai, les syndicats de l'enseignement secondaire ...cent leur mot d'ordre de grève et les CAL décident ...occupation des

établissements;
le 20 mai, Peugeot-
Montbéliard,
Citroën, EDF, GDF
(mais la distribution
de gaz et d'électricité
n'est pas
interrompue), tous
les services publics
et même les
hôpitaux. Le 21,
les grèves s'étendent
aux banques et aux
grands magasins.

Le mouvement est estimé à 7 000 000 de grévistes et
non pas à 10 000 000, comme le répètent les tracts.

«Occuper pour quoi faire?»

Les grèves avec occupation d'usines vont être
plus nombreuses dans les entreprises où la CGT
est majoritaire et où des consignes précises sont

Le *Progrès de Lyon*
du 18 mai fait état
de grèves et occupations
d'usines en série.

LE PROGRÈS

0,40 F
N 37418

109ᵉ ANNÉE

SAMEDI
18 MAI 1968

JOURNAL RÉPUBLICAIN QUOTIDIEN
Léon DELAROCHE, Fondateur   LE JOURNAL DE LYON

RENAULT, BERLIET, LES FORGES DU CREUSOT RHODIACETA ET DE NOMBREUSES USINES OCCUPÉES HIER DANS TOUTE LA FRANCE

L'ARRÊT DE TRAVAIL DE NOMBREUX CHEMINOTS PARALYSE LE TRAFIC FERROVIAIRE

L'occ.
d'abor
de l'outil de
éviter la détéri.
du matériel et pr.
les possibilités de
provocation; elle est
un moyen de pression
sur la direction et sur
les ouvriers hostiles
à la grève; elle préserve
l'unité d'action.
(Ci-contre, Renault-Flins
et attestation de grève.)

**Le premier geste est
de prendre le standard,
cela donne un petit air
de révolution. Autre
geste symbolique, la
pose de deux drapeaux
rouges et d'un drapeau
tricolore sur le fronton
de l'usine. Un comité
de grève se met en
place sous le contrôle
d'une Intersyndicale
CGT-CFDT. [...]
C'est à lui qu'incombe
l'organisation, l'usine
est divisée en secteurs
avec chacun d'eux
des piquets de grève.
Des barrières sont
placées. Dans les
ateliers, des ouvriers
commençaient à huiler
et graisser les
machines, à ranger le
matériel, le stocker.**
Ronan Capitaine,
*Dassault-Saint-Cloud
en mai 1968* [à gauche,
Dassault-Saint-Cloud]

données. En effet, l'organisation de l'occupation,
comme celle des loisirs pour les occupants ou pour
valoriser l'occupation (opérations portes ouvertes),
correspond à un savoir-faire déjà éprouvé à l'occasion
de nombreuses grèves et surtout pendant le Front
populaire, période de référence pour la CGT.
Parfois l'occupation est difficile parce que le site
est immense, à Usinor-Dunkerque par exemple,
ou parce qu'il est constitué d'un agrégat de sites
différents, comme chez Dassault.

Mais elle peut être défaillante du fait des ouvriers
eux-mêmes qui préfèrent l'évasion à l'enfermement
sur les lieux de travail, s'occuper de leur maison et
de leur famille. Chez Peugeot-Sochaux, sur les 25 000
salariés de l'entreprise, environ 24 000 sont repartis
chez eux : « Pour la masse de ceux qui repartent, la
grève se passe à la radio ou dans le journal », constate

E

QUOI FAIRE? 77

...pation signifie
...le maintien
...travail :
...oration
...venir

N. Hatzfeld. «Occuper pour quoi faire, elles ne veulent pas se sauver les machines.» Chez Citroën également, il ne semble pas que les occupants de l'usine de Javel aient été très nombreux : «Dans la journée, ça allait, mais la nuit... de 1 à 7 heures, on était une cinquantaine... Dans la journée, il y avait au minimum 100 personnes pour occuper sans compter tous les gens qui se baladaient, qui venaient voir tous les matins, qui venaient discuter», relate un militant CFDT (cité par P. Hassenteufel). Cet absentéisme signifie-t-il pour autant un abandon de la part des ouvriers, une indifférence à la situation ? La suite de ces grèves à faible occupation mais pourtant longues et dures, avec affrontements violents contre la police, démontre le contraire. C'est dans la volonté de ne pas arrêter la grève que se manifestera aussi l'opposition des ouvriers au marchandage routinier de la négociation.

Le développement du mouvement de grève montre qu'en dépit d'une surenchère idéologique du thème de l'autogestion, l'idée d'un contrôle ouvrier au sens

LA GRÈVE GÉNÉRALISÉE EN FRANCE

MAI JUIN 68

L'AUTOGESTION L'ETAT

ET LA RÉVOLUTION

L'autogestion et la grève généralisée, thèmes de la revue *Noir et Rouge* (ci-dessus). En haut, Renault-Le Mans. Page de droite, en haut, les chantiers de l'Atlantique à Saint-Nazaire ; en bas, affiche contre le vote secret.

LE VOTE À BULLETIN SECRET EST UNE MÉTHODE DU PATRON POUR BRISER L'UNITÉ OUVRIÈRE.

UN OUVRIER QUI N'OSE PAS DIRE SON OPINION DEVANT SES CAMARADES NE MÉRITE PAS LE NOM D'HOMME

où la grève de Lip, par exemple, la mettra en œuvre en 1973, n'est pas présente dans les initiatives et revendications ouvrières de 1968. Les expériences autogestionnaires sont, à l'époque, inexistantes, à de très rares exceptions. Les jeunes ouvriers comme la plupart des étudiants veulent vivre la liberté qu'ils découvrent dans la grève. Cependant, les ingénieurs, les employés et les cadres qui participent aux grèves ont revendiqué des statuts nouveaux, un changement dans le style de commandement et les relations de travail.

••Un groupe de grévistes se réunit en commission et établit un projet de tracts qui devra être discuté par l'ensemble des occupants. Les futurs comités d'ateliers auront pour but de contrôler les cadences, [...] d'interdire les déclassements, de contrôler les essais professionnels et les promotions [...], d'exiger que des suggestions techniques faites par les travailleurs soient [...] signées par les chefs d'atelier en présence de deux représentants du personnel (CGT et CFDT). Les responsables CGT-CFDT, au sein du comité de grève, refusent de tirer le tract et s'opposent à la création des comités d'ateliers.••

Notre arme, c'est la grève (Renault-Cléon)

Si les syndicats n'ont pas déclenché la grève, ils en font néanmoins partie et les Comités de grève sont le plus souvent formés de syndicalistes au titre de leur expérience, auxquels viennent s'ajouter des non-syndiqués, ce qui donne parfois un tour non conformiste aux débats. L'élection des Comités de grève (révocables par l'Assemblée souveraine) est rarement placée sous le contrôle direct des ouvriers. Par ailleurs, les prises de parole dans les assemblées ressemblent plutôt à des séances d'informations qu'à une discussion. A Javel-Citroën, ces assemblées comptent beaucoup plus de participants qu'il n'y a d'occupants. Chez Renault (ci-contre), se tient chaque jour un meeting pour informer les travailleurs et faire le point. Chez Thomson, sont créés des Comités de base par service.

Pendus et squelettes sont fréquents aux portes des usines en grève (page de gauche, chez Citroën-Javel). Le pouvoir ne fait plus peur, on s'en moque, on le met à mort. A la porte E de l'usine Berliet de Lyon, rebaptisée Liberté, anagramme de Berliet, pend l'un de ces épouvantails avec l'inscription «Je vous ai compris?»

L'émancipation de l'ORTF

Le déclenchement de la grève à l'ORTF n'est pas lié à une manifestation de solidarité avec les étudiants. C'est pour des raisons déontologiques que les responsables de l'information, scandalisés par les censures qui portent atteinte à leur honneur professionnel (communiqué du 11 mai), se rallient au mouvement de grève.

Le 17 mai, l'Assemblée générale du personnel vote la plate-forme de l'Intersyndicale : «Abrogation de la loi créant l'Office de la Radio et Télévision française. Autonomie réelle de l'Office en dehors de toute tutelle du ministère de l'Information, du ministère des Finances, ainsi que de tous les autres ministères ou organismes gouvernementaux.» A l'exception du journal télévisé, toutes les catégories du personnel sont représentées à l'Intersyndicale qui siège en permanence. Les journalistes entreront en grève le 25 mai, après bien des atermoiements portant sur les garanties d'objectivité de l'information. Ceux du journal télévisé le resteront jusqu'au 13 juillet alors que la reprise est amorcée depuis le 25 juin, selon les catégories professionnelles.

Le 31 mai, le centre d'Issy-les-Moulineaux sera évacué par la police et, ce même jour, le directeur de l'actualité présente lui-même le journal. Le 4 juin, la quasi-totalité des émetteurs de l'ORTF est occupée par l'armée en application du plan Stentor. Du 6 au 11 juin, pour soutenir la liberté de l'information et l'autonomie de l'ORTF, artistes, scientifiques, intellectuels, étudiants de l'Opération Jéricho manifestent autour la Maison de l'ORTF. Sous prétexte de réorganisation, un tiers des postes de journalistes sera supprimé le 2 août, 102 journalistes de radio et télévision licenciés.

La révolution manquée

Pendant la nuit du 23 au 24 mai, des barricades s'élèvent à nouveau à Paris, dans le périmètre du Quartier latin; 210 personnes sont arrêtées. Le 24, une manifestation est prévue pour protester

Les manifestants de l'Opération Jéricho défilent autour de la maison de l'ORTF pour la liberté de l'information et l'autonomie de l'ORTF.

contre l'interdiction de séjour en France de Daniel Cohn-Bendit qui vient de lui être signifiée au poste frontière entre Forbach et Sarrebruck. A 16 heures, une manifestation organisée par la CGT se déroule dans le calme ; à 17 h 30, des cortèges d'étudiants et de travailleurs convergent vers la gare de Lyon aux cris de «Les usines aux travailleurs», «Nous sommes tous des Juifs allemands», «Le pouvoir est dans la rue», «Ouvriers et étudiants solidaires»... Les heurts avec les forces de l'ordre ont divisé le cortège en deux : l'un reste dans le quartier Saint-Antoine, à la Bastille, où des barricades faites de troncs d'arbres sciés sont élevées ; l'autre se dirige vers la place de la Bourse où un début d'incendie

••Autonomie et liberté de l'ORTF a la douleur de vous faire part du décès de la liberté d'expression et d'information survenu le 4 août 1968, date à laquelle 102 journalistes ont été licenciés ou mutés. Regrets.••

Hautes-Pyrénées

DEUX CENTS TRACTEURS BLOQUENT LES ROUTES

se déclenche. La place de l'Opéra et les grands boulevards sont investis, la manifestation déborde le circuit habituel des étudiants avant de revenir au Quartier latin; le commissariat du V\ arrondissement est assiégé, celui de la rue Beaubourg saccagé. Bilan : 500 blessés parmi les manifestants, 212 parmi les forces de l'ordre, 795 personnes interpellées.

A Lyon, des barricades sont dressées, un commissaire de police, le commissaire Lacroix, est tué par un camion lancé par des manifestants.

❝L'ombre des décisions de Bruxelles pour la viande et le lait plane sur la mobilisation paysanne. Les agriculteurs bigourdans sont descendus dans la rue sur leurs tracteurs. Dans la plupart des cantons, des rassemblements de 10 à 40 engins barrent les axes principaux : Tarbes, Pau, Bordeaux, Toulouse, Auch. Participation de nombreux jeunes.❞
(Article «Hautes-Pyrénées»)

PLACE AU PEUPLE

Haute-Garonne

CARBONNE : DEUX MILLE PAYSANS MANIFESTENT

A Toulouse, la mairie est ouverte aux manifestants par la municipalité; à Bordeaux, heurts avec les forces de l'ordre; à Strasbourg, on construit des barricades par solidarité avec Cohn-Bendit. Ce même jour, des manifestations paysannes ont lieu dans toute la France, à l'appel de la Fédération nationale des syndicats d'exploitants agricoles et du Mouvement de défense des exploitations familiales pour marquer leur solidarité avec les étudiants et les ouvriers. La nuit du 24 mai fut généralement considérée comme un tournant, perçu par le préfet de police lui-

❝Les paysans ne seront plus les serfs et les esclaves des temps modernes». Un comité d'action s'est constitué.❞
(Article «Haute-Garonne»)

❝Pompidou démission». Un millier de paysans se sont rendus à Carjac, dont le premier ministre est conseiller municipal.❞
(Article «Lot»)

Lot

5.
R

A Nantes, les tracteurs convergent vers la ville (ci-contre). Un Comité de grève du port de Nantes – officiers et marins – est aussi créé.

même, Maurice Grimaud, qui y voyait se déployer «un style de guérilla urbaine». Si la manifestation parisienne ne débouche pas sur une prise de pouvoir, c'est peut-être parce que, en dépit des multiples références aux révolutions passées, cette hypothèse n'existe pas pour les manifestants et les organisateurs. Tout au plus un sentiment physique de la vacance du pouvoir est ressenti.

**NIFESTANTS
A CAHORS**

Ne pas arrêter la grève : non aux accords de Grenelle

C'est dans la volonté de ne pas arrêter la grève que se manifeste l'opposition des ouvriers au marchandage routinier de la négociation. Renault-Billancourt teste le 27 mai au matin les accords de Grenelle. Les

C'est à Nantes, organisée en commun avec les syndicats ouvriers, enseignants, étudiants, que la manifestation prendra son tour le plus violent. Rassemblés aux quatre coins du département, les syndicalistes convergent sur Nantes avec leurs tracteurs. Des affrontements ont lieu devant la préfecture, la place Royale est rebaptisée par les paysans en place du Peuple (ci-dessus).

négociations, commencées le 25 mai, sont menées
par le gouvernement avec une certaine précipitation :
«Je souhaite que la négociation s'engage avec la
volonté d'aboutir», assure Georges Pompidou le matin
du 24 mai. Etabli entre gouvernement, patronat et
syndicat au ministère des Affaires sociales, rue de
Grenelle, et non pas à Matignon comme en 1936, le
protocole d'accord comprend neuf points dont, parmi
les plus importants, le relèvement du salaire
minimum, l'augmentation des salaires, la réduction
du temps de travail et le paiement des jours de grève.
Le rejet de l'accord par les ouvriers de Renault, usine-
phare de l'industrie, mais aussi l'accueil défavorable
qu'il reçoit chez Citroën à Paris, Berliet à Vénissieux,
Sud-Aviation à Marignane et à Nantes, Rhodiaceta
à Vaise, relancent la grève dans la France entière.
Le vendredi 24 mai, à 20 heures, le général de

Gaulle avait demandé au pays de lui renouveler
sa confiance par l'organisation d'un référendum,
discours jugé catastrophique par Raymond Aron
lui-même : «On a l'impression d'entendre le fantôme
d'un spectre ou le spectre d'un fantôme. Il propose
un référendum que le Conseil d'Etat a le courage de
déclarer immédiatement contraire à la Constitution.»
Avec le refus des accords de Grenelle par
les ouvriers, les partis de gauche croient venu le
moment de lancer une offensive antigaulliste.
A l'appel de Jacques Sauvageot, un meeting a lieu
au stade Charléty le lundi 27 mai, près de la Cité
universitaire. «Meeting d'impuissance qui d'un côté

A la table des accords de Grenelle (page de gauche), on peut voir le ministre des Affaires sociales M. Jeanneney, le Premier ministre Georges Pompidou, Jacques Chirac, secrétaire d'Etat à l'Emploi, et Georges Séguy (de gauche à droite sur la photo). Ci-dessus, le général de Gaulle lors de son intervention télévisée du 24 mai.

Entre le vote à bulletin secret organisé par la direction et le vote par acclamation requis par les syndicats s'instaure une forme de duel, chaque partie contestant la légitimité de la position de l'autre. Ci-contre, les ouvriers de l'usine Citroën à Javel, refusant les accords de Grenelle et l'arrêt de la grève, par vote à mains levées.

n'engendre pas d'action et de l'autre ne s'engage pas explicitement dans une opération de restructuration du pouvoir gouvernemental (Mendès France est là, mais ne dit mot)», écrira Daniel Cohn-Bendit dans *Le Grand Bazar*. François Mitterrand propose Mendès France comme Premier ministre et annonce sa candidature à la présidence de la République. Le Parti communiste publie un communiqué : «Il n'y a pas en France de politique de gauche et de progrès social sans le concours des communistes.»

Le 29 mai, de Gaulle disparaît et va consulter le général Massu à Baden-Baden. Le 30 mai, à 11 heures, Valéry Giscard d'Estaing déclare que «le gouvernement qui, malgré un sursis, n'a réussi

Une foule nombreuse et désireuse d'apporter son soutien à de Gaulle défile le 30 mai de la Concorde à l'Etoile. L'extrême droite, pour la circonstance, devant l'imminence du péril communiste et malgré son antigaullisme, s'est jointe à cette manifestation. Ni de Gaulle ni Pompidou ne sont présents.

ni à établir l'autorité de l'Etat, ni à remettre la France au travail doit partir de lui-même».

La contre-manifestation gaulliste

Le même jour à 16 h 30, coup de théâtre : le général de Gaulle, dans un discours pugnace et incisif, annonce qu'il ne se retirera pas, ne changera pas de Premier ministre et qu'il dissout l'Assemblée nationale.

A Paris, de 18 à 20 heures, à l'appel de diverses organisations gaullistes, 300 000 à 1 000 000 de personnes défilent de la Concorde à l'Etoile. Le succès de la manifestation surprend même ses organisateurs. En province, à Angers, au Havre, à Rennes, à Rouen, à Besançon et à Caen, des manifestations similaires se déroulent. Par un effet boule de neige jusqu'au 1er juin, elles auront lieu dans la plupart des villes françaises, grandes et moyennes, avec parfois, parallèlement, l'organisation de contre-manifestations.

Un nouveau gouvernement est formé. Pompidou est maintenu Premier ministre, mais la volonté de tourner la page est manifeste. Les ministres en charge des secteurs mis à mal par les événements sont remplacés : Justice, Intérieur, Jeunesse et Sports, Affaires sociales, Information. Alain Peyrefitte est remplacé à l'Education nationale par François Ortoli. La préparation des élections législatives commence pour le gouvernement comme pour les partis de gauche – «L'union des forces de gauche se fera au second tour», déclare Waldeck-Rochet pour le Parti communiste.

Négociations et reprises du travail

Les négociations avec EDF aboutissent à un projet d'accord. A la RATP et aux PTT, des mouvements de reprise se dessinent. A la SNCF, le 2 juin, des négociations s'ouvrent. Les reprises du travail s'amorcent aux Charbonnages de France, dans les

Au premier plan, le 30 mai, les figures du gaullisme, Malraux, Debré, Schumann (sur la photo), Mauriac et les barons de l'UDR.

Manifestants à Charléty, le 27 mai, pour le meeting organisé par l'UNEF (ci-dessus). Pierre Mendès France a ainsi commenté le discours de De Gaulle du 24 mai : «Un plébiscite, cela ne se discute pas, cela se combat.» Présent à Charléty, il décline l'invitation à prendre la parole.

CAMARADES IL FAUT SAVOI
TERMINER UNE GREVF
(oui après satisfaction totale des revendications).

houillères du Bassin de Lorraine, dans les chantiers parisiens du bâtiment, dans les entreprises du papier-carton. La CGT communique : «Dans certaines branches parfois fort importantes, les discussions demeurent difficiles, du fait des patrons et du gouvernement.»

Objectivement, pour les syndicats, la seule issue de la grève est la négociation menée sous leur responsabilité sur la base d'une augmentation des salaires et de la liberté syndicale. Il fallait arrêter le mouvement. Le gouvernement envisage également de rétablir l'ordre dans l'Université afin de mettre en œuvre une réforme profonde (Georges Pompidou le 3 juin).

Dans la métallurgie, le patronat refuse un accord national sur les salaires, la réduction de la durée du travail et les droits syndicaux. Chez Michelin, le 4 juin, la reprise s'amorce, elle se confirme dans les secteurs du textile et de l'habillement. La situation se dégrade dans l'industrie automobile et surtout à la Régie Renault; le jeudi 6 juin, à la demande de la direction de l'usine, les piquets de grève de l'usine de Flins sont expulsés par un millier de CRS. Chez Citroën, les votes pour la reprise dans les différentes usines se multiplient; les syndicats en contestent la régularité.

La résistance des ouvriers de l'automobile

Après la dispersion de la manifestation du 1er juin, à Paris, où sont présents Force Ouvrière, l'Intersyndicale de l'ORTF, de Nord-Aviation et de

Le Parti communiste et la CGT voient d'un mauvais œil l'incursion des étudiants et leurs actions de solidarité avec les grévistes.

la cause du peuple

JOURNAL DU FRONT POPULAIRE
ÉDITION DE NANTES
JEUDI 6 JUIN

CONTRE LES CAPITULARDS
VIVE LA RESISTANCE PROLETARIENNE

Ils prônent le retour au travail (tract du haut et extrait du discours de Waldeck-Rochet du 10 juin, page de droite). Les résistances s'organisent, en particulier à Nantes et dans l'industrie automobile (en haut, refus de la reprise chez Citroën-Javel).

l'Institut français d'opinion publique (IFOP), Jacques Sauvageot lance un appel pour que le plus grand nombre aille individuellement chez Citroën et à Billancourt. «Les travailleurs nous attendent pour discuter et voir comment nous pouvons avec eux nous organiser pour continuer la lutte.» Le 4 juin, chez Renault, la situation se tend entre partisans et

La solidarité ouvriers-étudiants s'exprime très fortement au cours du mois de juin. Déjà, les tracts émis par le CLEO (Comité de liaison étudiant-ouvrier), entre le 16 et le 30 mai,

Après avoir tenté de dévoyer le mouvement de grève, s ont essayé de saboter la reprise du travail dans des en-prises où les revendications étaient satisfaites

adversaires de la grève. A Flins, le vote sur la reprise du travail ne peut avoir lieu; Billancourt se prononce aussi pour la poursuite de la grève.

Le 7 juin, le général de Gaulle, lors d'un entretien télévisé, après avoir attaqué l'entreprise communiste totalitaire, se prononce pour la participation «qui implique que soit attribuée, par la loi, à chacun, une part de ce que l'affaire gagne». Ce discours ne calme pas le jeu et laisse incrédules les ouvriers en grève.

affirmaient, au nom de la symétrie des luttes étudiantes et ouvrières, l'importance de cette jonction. Un appel aux soldats, du 17 mai, accentuait encore la symétrie des conditions jusqu'à les présenter comme indifférenciées : «Vous étiez hier ouvriers, étudiants, chômeurs.» Ci-dessus, une affiche des Beaux-Arts stigmatisant la détente.

Flins, Sochaux

Le jour même, l'usine Renault de Flins est réoccupée
par les grévistes; à l'origine, un meeting tenu par les
syndicats à Elisabethville près de Flins, d'où Alain
Geismar lance un appel à l'occupation. Plusieurs
milliers de jeunes ouvriers, et des étudiants venus
de Paris, s'affrontent violemment aux forces de police.
De son côté, le Mouvement du 22 mars déclare que
là se joue l'avenir du processus révolutionnaire.
La CGT dénonce les groupes étrangers à la classe
ouvrière entraînés quasi militairement. L'épisode
de Flins deviendra emblématique de la «résistance
prolétarienne» et de l'entraide étudiants-ouvriers.

Les étudiants manifestent après la mort de Gilles Tautin (en haut). A Peugeot-Sochaux, les derniers affrontements entre policiers et grévistes font deux morts, Pierre Beylot et Henri Blanchet (affiche ci-dessus).

 La mort par noyade dans la Seine, près de
Meulan, d'un lycéen de dix-sept ans, Gilles
Tautin, au cours d'une rafle de police, entraîne
des manifestations violentes et des barricades
au Quartier latin; des voitures flambent,
la chapelle de la Sorbonne sonne le tocsin.
 Aux usines Peugeot à Sochaux, le lendemain,
le mardi 11 juin, un jeune gréviste de vingt-quatre
ans, Pierre Beylot, est tué par balle au cours
des affrontements avec la police. Le 12 juin,
la direction de l'usine ayant donné l'ordre
d'expulser les occupants, Henri Blanchet,
quarante-neuf ans, est tué lors de heurts violents
entre policiers et grévistes. A Paris, une marche
silencieuse des lycéens se déroule sans incident.

Derniers affrontements

La manifestation organisée par l'UNEF, gare de
l'Est, pour protester contre «une répression qui
s'étend aux ouvriers, étudiants et aux étrangers», est
interdite, ce qui provoque une dispersion des groupes
dans la ville et de violents affrontements sur la rive
gauche comme sur la rive droite : 194 blessés chez
les manifestants et 75 chez les policiers.
 En province, des manifestations violentes ont lieu.
Pour la première fois à Toulouse, des barricades sont
édifiées, les événements prennent un tour violent,
inhabituel pour une ville où la municipalité a défilé
aux côtés des manifestants. A Saint-Nazaire, heurts

violents entre ouvriers métallurgistes des chantiers navals et forces de l'ordre; à Lyon, des manifestations se dirigent sans succès vers la prison; violents accrochages à Strasbourg le 12 juin où les étudiants marquent leur solidarité avec les ouvriers de Flins et de Sochaux.

La reprise en mains

Le Conseil des ministres prononce le 12 juin la dissolution de tous les groupes d'extrême gauche, trotskistes, anarchistes ou pro-chinois, ce qui entraîne de nombreuses arrestations. Toute manifestation pendant la campagne électorale est interdite sur l'ensemble du territoire.

Les journées du 11 et 12 juin représentent les derniers pics de violence. Le 16 juin, la Sorbonne est

A Toulouse, à proximité du commissariat central, une première barricade est dressée. Après la riposte des forces de police, une nouvelle barricade est construite, dont l'une très haute dans la rue du Poids-de-l'Huile, près du théâtre du Capitole : bancs en ciment démolis, poteaux de signalisation et panneaux électoraux abattus, chaussée dépavée. Le jet d'eau d'une lance d'arrosage protège les défenseurs de la barricade des effets des lacrymogènes. Cependant, une barricade qui prend pour bouclier une affiche (ci-contre), s'inscrit dans le spectacle de la résistance plutôt que dans la violence guerrière. Une dimension symbolique de l'affrontement est aussi présente en Mai 68.

plus jamais ça

évacuée. Le secteur de la métallurgie résiste; ce n'est que le 17 juin que les ouvriers de Renault et de Saviem décident la reprise du travail. Peugeot reprend le 20 et Citroën, le 24.

Le 23 juin, le premier tour des élections est un succès pour la majorité gaulliste qui recueille 142 siège sur 154. Recul des communistes et de la Fédération de la gauche, mais progrès du PSU. Mendès France est battu à Grenoble.

Le dimanche 30 juin, les candidats de l'Union des Républicains et des Républicains indépendants obtiennent 6 700 000 suffrages contre 6 100 000 pour la gauche.

68 et après

Les événements de Mai 68 sont-ils à l'origine des mouvements sociaux qui marquent la décennie 1970-1980 : autogestionnaires, libération des femmes, communautaires? L'idée d'un contrôle ouvrier n'est pas présente en 1968 dans les initiatives et revendications ouvrières. La place des femmes dans ce mouvement d'insubordination générale est subalterne. Elles participent aux manifestations, se font arrêter, molester en nombre, mais les groupuscules reproduisent les modèles de domination sexuelle en vigueur dans les organisations traditionnelles du mouvement ouvrier. Elles ne sont pas porte-parole du mouvement. Celles qui fonderont, en 1970, le Mouvement de libération des femmes, et qui venaient souvent de groupes gauchistes, ont vivement ressenti cette subordination. La dimension fusionnelle du vivre ensemble en toute transparence

MOINS DE 21 ANS voici votre bulletin de **VOTE**

Cette affiche, qui recoupe l'idée d'élections-trahison, s'inscrit dans la revendication de l'abaissement à 18 ans de la majorité électorale. Pour le PSU, dans *Le Journal du Rhône* (quotidien lyonnais du 24 mai au 27 juin), il serait inadmissible que la masse des étudiants, à l'origine du mouvement, soit tenue à l'écart des prochains scrutins.

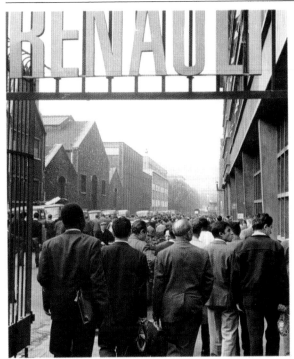

de l'atelier des Beaux-Arts : «Plus jamais ça» (à gauche, en haut) ou «Halte au communisme totalitaire, oui à la défense de la République» avec un poing levé, mais barré de rouge.

Après le raz de marée gaulliste et la dissolution des groupuscules, des étudiants se retrouvent au Festival d'Avignon. La dénonciation de la commercialisation de la culture se fixe sur la personne de Jean Vilar, directeur du Festival depuis 1947. Elle prend pour cible l'interdiction préfectorale signifiée à la troupe américaine, le *Living Theatre*, de jouer, gratuitement dans la rue, *Paradise Now* (ci-dessous), symbole de la contre-culture.

est très présente en 1968 comme utopie. Mais le temps bref de l'événement, l'exceptionalité des moments vécus n'ont pas permis l'invention d'une vie quotidienne.

Mai 68 n'est pas une répétition de l'histoire, ni même une commémoration des révolutions des xixe et xxe siècles. Ce mouvement, marqué par la grâce de l'éphémère, a néanmoins, de source autorisée, ébranlé pendant deux mois, les institutions françaises.

TÉMOIGNAGES
ET DOCUMENTS

Mots d'ordre, mots de désordre

Une interactivité s'instaure entre les paroles des partis politiques, du gouvernement et celles de la rue qui retourne les formules à l'envoyeur.

« Nous sommes tous des Juifs allemands », lance-t-on autour du 3 mai dans les manifestations en réponse à deux articles de presse : « De faux révolutionnaires à démasquer » dans L'Humanité *du 3 mai et un article de* Minute *(du 2 au 8 mai), qui reprend à son compte une tradition antisémite du XIXᵉ siècle que l'affaire Dreyfus avait réactivée (1894-1914).*

De faux révolutionnaires à démasquer

Malgré leurs contradictions, ces groupuscules – quelques centaines d'étudiants – se sont unifiés dans ce qu'ils appellent Le Mouvement du 22 mars Nanterre, dirigé par l'anarchiste allemand Cohn-Bendit.

Non satisfaits de l'agitation qu'ils mènent dans les milieux étudiants – agitation qui va à l'encontre des intérêts de la masse des étudiants et favorise les provocations fascistes –, voilà que ces pseudo-révolutionnaires émettent maintenant la prétention de donner des leçons au mouvement ouvrier.
Georges Marchais, *L'Humanité*, mai 1968

« Parce qu'il est juif et allemand »

La première mesure concerne ce Cohn-Bendit qui, parce qu'il est juif et allemand, se prend pour un nouveau Karl Marx. Nous l'aurions volontiers accueilli s'il n'était venu que pour bénéficier de l'enseignement de nos maîtres mais NOUS N'ADMETTRONS PAS QUE CE PROVOCATEUR CONTINUE À JOUER CHEZ NOUS LES RUDI LE ROUGE.

Dans le tumulte actuel, ce Cohn-Bendit doit être pris par la peau du cou et reconduit à la frontière sans autre forme de procès.

Et si nos autorités ne s'en sentent pas le courage, nous connaissons un certain nombre de jeunes Français que cela démange d'accomplir ce geste de salubrité publique.

NOUS N'ABANDONNERONS PAS LA RUE À LA CHIENLIT DES « ENRAGÉS ».
Minute, 2-8 mai 1968

L'affiche des Beaux-Arts de Paris « Nous sommes tous Juifs et des Allemands », jugée trop violente, est censurée par l'Assemblée générale et remplacée par l'intitulé « Nous sommes tous des indésirables ».

Les DÉPORTÉS déclarent dans *Le Rescapé* de juin 1968 : Hitler... pas mort

L'Association départementale des Déportés, Internés, Résistants et Patriotes de Loire-Atlantique, s'étonne des manifestations qui ont eu lieu devant les Tables Mémoriales des Victimes des Guerres et du Monument élevé à la mémoire des 50 otages à NANTES.

Ces manifestations ont été organisées par des groupes à caractère politique dans l'après-midi du samedi 1er juin 1968. [...]

D'autre part, une pancarte portant les mots « COHN-BENDIT À DACHAU » a été remarquée dans le cortège de la manifestation organisée par le Comité Français pour l'Ordre et la Légalité, le 1er juin dernier à NANTES. [...]

Les Rescapés des Camps de Concentration qu'ils soient de DACHAU ou d'ailleurs, particulièrement sensibilisés par le rappel des épreuves terribles qu'ils y ont connues et où ont péri des milliers de leurs camarades, rappellent qu'ils luttent pour le respect de la personne humaine et se déclarent révoltés par la proclamation publique de tels mots d'ordre.

« La chienlit c'est lui ! »

La formule en différé du général de Gaulle, « La réforme oui, la chienlit non », transmise le 19 mai par le ministre de l'Information, M. Gorse, et confirmée par le Premier ministre, suscite un flot de commentaires et de réactions diverses. Parfois, le thème de la chienlit recoupe les propos du ministre de l'Intérieur, M. Fouchet, qui, le 24 mai, dénonce l'action de la pègre à côté de celle des étudiants.

« À de Gaulle »

« M. Maurice Clavel, invité par l'Élysée à exprimer son opinion sur la crise, a remis le mémorandum suivant à M. Bernard Tricot, qui l'a transmis au Chef de l'État. »

Le mouvement de notre jeunesse, et particulièrement de ceux qu'on appelle les enragés ou trublions, est spirituellement magnifique. Il rend l'espoir à notre pays et à d'autres. Pour ma part j'y retrouve à peu près ce qu'avait rêvé la jeune résistance française – communiste comprise, en dehors de l'appareil stalinien. Et voici qu'aujourd'hui mes élèves de philosophie, les meilleurs, les plus pensifs, ont lutté sur les barricades. Voici que le désordre a quelque chose de constructif et de prometteur. Voilà pourquoi le mot chienlit, s'il est vrai que le général de Gaulle l'a prononcé, est un crime contre lui-même.

Maurice Clavel, *Combat*, 24 mai 1968

« Cher général de mon cul »

Ayant considéré que vous êtes :
– le responsable de la chienlit qui empuantit le pays
– le fossoyeur de l'espoir de la jeunesse créatrice
– l'idole chevrotante de faux « anciens combattants » et de vrais maquereaux [...]
– la preuve agonisante du déclin de l'enculage de mouches des luttes politico-syndicales
– le partenaire de Séguy dans le susdit enculage [...]

Nous vous demandons de bien vouloir rester parmi nous quelques semaines encore afin de parachever votre entreprise de destruction de la société capitalo-socialo- totalitaire distributrice de denrées sexualo-alimentaires anesthésiantes. [...]

La pègre estudiantine toulousaine et midi-pyrénéenne

Le style de 68

Le style de 68 est un style de lettrés dont les références poétiques et philosophiques, notamment à Antonin Artaud, René Crevel ou Arthur Rimbaud, donnent la trame d'un langage commun.

« Lettre aux recteurs des universités européennes »

À Nanterre, un tract diffuse une lettre prémonitoire d'Antonin Artaud (1896-1948).

Monsieur le Recteur,

Dans la citerne étroite que vous appelez « Pensée », les rayons spirituels pourrissent comme de la paille…

… Mais la race des prophètes s'est éteinte. L'Europe se cristallise, se momifie lentement sous les bandelettes de ses frontières, de ses usines, de ses tribunaux, de ses universités. L'Esprit gelé craque entre les cris minéraux qui se resserrent sur lui. La faute en est à vos systèmes moisis, à votre logique de 2 et 2 font 4. La faute en est à vous, Recteurs, pris au filet des syllogismes. Vous fabriquez des ingénieurs, des magistrats, des médecins à qui échappent les vrais mystères du corps, les lois cosmiques de l'être, de faux savants aveugles dans l'outre-terre, des philosophes qui prétendent à reconstruire l'Esprit. Le plus petit acte de création spontanée est un monde plus complexe et plus révélateur qu'une quelconque métaphysique.

Laissez-nous donc, Messieurs, vous n'êtes que des usurpateurs. De quel droit prétendez-vous canaliser l'intelligence, décerner des brevets de l'Esprit ?

Vous ne savez rien de l'Esprit. Vous ignorez ses ramifications les plus cachées et les plus essentielles, ces empreintes fossiles si proches des sources de nous-mêmes, ces traces que nous parvenons parfois à relever sur les gisements les plus obscurs de nos cerveaux.

Au nom même de votre logique, nous vous disons : la vie pue, Messieurs. Regardez un instant vos faces, considérez vos produits. À travers le crible de vos diplômes, passe une jeunesse efflanquée, perdue. Vous êtes la plaie d'un monde, Messieurs, et c'est tant mieux pour ce monde, mais qu'il se pense un peu moins à la tête de l'humanité.

Antonin Artaud

Le tract poursuit, se référant à un slogan surréaliste :

Aujourd'hui plus que jamais, face à la gestapo du Pouvoir, la révolution se fait dans la rue. L'État (ses structures socio-policières, politico-culturelles) s'écroulera sous la pression des travailleurs révolutionnaires : LA RÉVOLUTION DOIT ÊTRE FAITE PAR TOUS ET NON PAR UN. Saccagez la culture industrielle, vive la création collective permanente.

Comité d'Action Révolutionnaire, mai 1968

« L'Amnistie des yeux crevés »

Version strasbourgeoise d'un texte écrit à Censier, Paris, autour du 13-20 mai :

ÉTUDIANTS

Pendant plus d'une semaine nous avons manifesté en masse et, quand cela fut nécessaire, déterminés, nous nous sommes battus.

Nous avons cru alors que notre situation pouvait changer.

Hier, l'ensemble des syndicats, CGT en tête, ont manifesté leur solidarité à notre égard et fait à notre mouvement un enterrement de première classe.

Quant au pouvoir, il a réussi à ce que l'ordre règne, ramenant la situation à son point de départ, au statu quo antérieur.

Et voilà ce qu'aujourd'hui il faut entériner ! Des centaines de blessés et de mutilés pour revenir à notre point de départ !

Cela nous ne l'acceptons pas.

Nous voulons que l'espoir né pendant ces jours de manifestation trouve son expression dans un mouvement irréversible.

Étudiants, notre choix idéologique doit être clair. Les barricades sont nécessaires mais non suffisantes. Les tracts ne sauraient tenir lieu de pensée politique et les slogans de réalisations.

Le texte qui suit se veut une amorce de programme

Il se veut une base de pensée et d'action

Il n'est pas une doctrine ni même un manifeste.

Mais il doit le devenir.

APPEL AUX ÉTUDIANTS

Étudiants, il ne faut pas vous laisser duper une fois de plus.

Étudiants, il faut prendre conscience de ce que nous avons tous fait confusément à la hâte et dans la rue.

Étudiants, il faut être lucide et ne pas accepter d'être récupérés, assimilés ou compris avec nos petits problèmes de mineurs, de privilégiés, de mauvaise conscience de non-prolétaires.

Étudiants, nous sommes des adultes, nous sommes des travailleurs, nous sommes des responsables. Exposons clairement ce que nous voulons et nous devons prendre le temps de le savoir.

Thèse 1 : Il n'y a pas de problème étudiant. L'étudiant est une notion périmée. Nous sommes des privilégiés, non économiquement, mais parce que nous seuls avons le temps et la possibilité matérielle, physique,
de prendre conscience de notre état et de l'état de la société. Abolissons ce privilège et faisons que tout le monde puisse devenir privilégié. [...]

Lyon, le 15 mai 1968, Le Groupe l'Ekart

« Ce que veulent les anarchistes »

Et d'abord qui sont ces hommes au drapeau noir ?

Des provocateurs ? Des voyous venus des bas-fonds comme le dit le sinistre Fouchet ?

Ou bien plutôt des révolutionnaires décidés à en finir une fois pour toutes avec la pègre du pouvoir, de tous les pouvoirs. [...]

Reprenant le mot de Rimbaud nous voulons «changer la vie». Nous voulons réaliser l'unité dans l'infinie diversité, exalter les différences et bannir la totalité (et son corollaire le totalitarisme) qui est l'écrasement de ces mêmes différences.

Nous voulons transformer la quotidienneté médiocre et astreignante en une fête libératrice qui apporte à l'être la plénitude de la vie.

Nous n'acceptons plus les lendemains de fête.

Nous voulons que la révolution soit une fête perpétuelle et la vie de chacun une œuvre d'art à réaliser.

Groupe anarchiste «Front Noir»

Occupations : de la faculté à l'usine

Face aux événements, l'occupation est la réponse évidente et partagée, à l'université, à l'usine et… au théâtre.

Le Manifeste des 142

Texte voté par les occupants de la tour administrative de Nanterre le 22 mars 1968 :

À la suite d'une manifestation organisée par le Comité Vietnam National, pour la victoire du peuple vietnamien contre l'impérialisme américain, DES MILITANTS DE CETTE ORGANISATION ONT ÉTÉ ARRÊTÉS DANS LA RUE OU À LEUR DOMICILE PAR LA POLICE.

Le prétexte invoqué était les attentats qui eurent lieu contre certains édifices américains à Paris.

Le problème de la répression policière contre toute forme d'action politique se repose à nouveau.

Après
– Les flics en civil à Nanterre et à Nantes.
– Les listes noires.
– La trentaine d'ouvriers et d'étudiants emprisonnés à Caen, et dont certains sont encore en prison.
– Les perquisitions et arrestations continuelles contre les étudiants de Nantes qui mirent à sac le rectorat…

Le gouvernement a franchi un nouveau pas. Ce n'est pas aux manifestations que l'on prend les militants, MAIS CHEZ EUX.

Pour nous ces phénomènes ne sont pas un hasard ;

Ils correspondent à une offensive du capitalisme en mal de modernisation et de rationalisation. Pour réaliser ce but, la classe dominante doit exercer une répression à tous les niveaux.
– La remise en cause du droit d'association pour les travailleurs.
– L'intégration de la sécurité sociale.
– Automation et cybernétisation de notre société.
– Une introduction des techniques psycho-sociologiques dans les entreprises pour aplanir les conflits de classe (on prépare certains d'entre nous à ce métier).

Le capitalisme ne peut plus finasser. NOUS DEVONS ROMPRE AVEC DES TECHNIQUES DE CONTESTATION QUI NE PEUVENT PLUS RIEN.

Le socialiste Wilson impose à l'Angleterre ce que de Gaulle nous impose. L'heure n'est plus aux défilés pacifiques comme celui organisé par le SNE-Sup jeudi prochain sur des objectifs qui ne remettent rien en cause dans notre société.

Pour nous l'important est de pouvoir discuter de ces problèmes à l'université et d'y développer notre action.

NOUS VOUS APPELONS À TRANSFORMER LA JOURNÉE DU VENDREDI 29 EN UN VASTE DÉBAT SUR
– Le capitalisme en 68 et les luttes ouvrières.
– Université et université critique.
– La lutte anti-impérialiste.
– Les pays de l'Est et les luttes ouvrières et étudiantes dans ces pays.

POUR CELA NOUS OCCUPERONS TOUTE LA JOURNÉE LE BÂTIMENT C POUR DISCUTER DE CES PROBLÈMES PAR PETITS GROUPES DANS DIFFÉRENTES SALLES.

À chaque étape de la répression nous riposterons d'une manière de plus en plus radicale et nous préparerons dès maintenant une manifestation devant la préfecture des Hauts-de-Seine.

Texte voté par 142 étudiants occupant de nuit le bâtiment administratif de la faculté de Nanterre, 2 contre et 3 abstentions.

« Le Manifeste des 142 voté à l'issue de l'occupation », in *Nanterre, 1965, 66, 67, 68, Vers le Mouvement du 22 mars,* Jean-Pierre Duteuil, Mauléon, Acratie, 1988

Mots d'ordre à diffuser maintenant par tous les moyens

(tracts – proclamations au micro – comics – chansons – peinture sur les murs – ballons sur les tableaux de la Sorbonne – proclamations dans les salles de cinéma pendant la projection ou en l'arrêtant – ballons sur les affiches du métro – chaque fois qu'on lève le coude dans un bistrot – avant de faire l'amour – après l'amour – dans les ascenseurs)

Occupation des usines
Le pouvoir aux conseils de travailleurs
Abolition de la société de classe
À bas la société spectaculaire marchande
Abolition de l'aliénation
Fin de l'université
L'humanité ne sera heureuse que le jour où le dernier bureaucrate aura été pendu avec les tripes du dernier capitaliste
Mort aux vaches
Libérez aussi les quatre condamnés pour pillage pendant la journée du 6 mai

Comité d'occupation de la Sorbonne, 16 mai 1968 – 19 heures

L'occupation de Sud-Aviation Bouguenais-Nantes

Récit, par un des acteurs, de la première occupation d'usine :

Mardi 14 mai 1968, comme d'habitude, plusieurs débrayages sporadiques. Les délégués syndicaux doivent être reçus en début d'après-midi. [...]

L'ambiance est explosive, les slogans sont hurlés, on peut voir la tension sur les visages, les quelques jaunes qui prennent le risque de rester au travail sont pris à partie. On sent le drame dans l'air. [...]

Le défilé se dirige vers l'extérieur de l'entreprise, sous les fenêtres de la direction où les délégués sont reçus.

La chanson *Le Père Duvochel* retentit. *L'Internationale* fuse. [...]

15 h 30 : nouveau rassemblement général, les délégués sont sortis des bureaux de la direction. Le responsable

Les occupants de Sud-Aviation Bouguenais.

CGT grimpe sur un montage
métallique, les visages sont inquiets…
Quelle nouvelle ? Le résultat est encore
négatif.

La masse s'ébranle spontanément,
des ordres retentissent […].
L'escalier est gravi par une grappe
humaine qui se retient au garde-fou. […]
Enfin la porte cède, le flot pénètre
dans la salle de traçage, les slogans
s'amortissent sur les plaques
insonorisées du plafond. Les mensuels
restent pétrifiés. Que vont-ils faire ?
Ils sont appelés à se joindre à la masse,
un moment de flottement… les gars
essayent de contacter les délégués
des mensuels, la masse avance à travers
les bureaux, la colère gronde à nouveau,
certains mensuels ne veulent pas s'y
joindre. Enfin les délégués mensuels
appellent au débrayage : un cri de
victoire jaillit parmi les occupants. […]

Le directeur surgit flanqué de son
chef du personnel. Il arbore un sourire
en coin et proclame : « Je suis votre
prisonnier, faites de moi ce que vous
voudrez. » […]

Déjà, durant cette phase de l'assaut,
des gens effrayés par l'ampleur de la
révolte se sont enfuis précipitamment
de l'entreprise. Mais spontanément
l'occupation s'organise. Des délégués
arrivent en trombe et demandent que
tous les « choumacs » les suivent afin
de bloquer les issues pour empêcher
les tièdes de quitter l'entreprise. Des
gars gardent déjà les sorties principales.

[…] Les portails métalliques côtés
ouest et est sont soudés. Les autres,
s'ils ne sont pas soudés, sont solidement
verrouillés. L'occupation se « fortifie »,
une prise de parole a lieu dans la cour,
des groupes sont constitués pour
surveiller les issues. […]

La nuit rouge

Les scellés sont maintenant bien posés
sur toutes les portes et issues de l'usine.
Tout au long des mille huit cents mètres

du mur d'enceinte qui clôture la boîte, on se livre à un travail fébrile d'organisation et de fortification des postes-sentinelles.

Francis Le Madec,
*L'aubépine de Mai,
chronique d'une usine occupée.
Sud-Aviation Nantes, 1968,*
Nantes CDMOT, 1988

Occupation usine Renault-Cléon

La CGT est décidée à Cléon à donner une suite au Mouvement du 13 mai. Le mardi, les militants ont pour mission de descendre dans les ateliers et de prendre la « température » après la grève du lundi.

Avant les événements du Quartier latin, avant le 13 mai, les confédérations syndicales avaient décidé de faire du mercredi 15 mai une « journée nationale d'action pour l'abrogation des ordonnances sur la Sécurité sociale », action très limitée (un débrayage d'une heure en général dans les entreprises), sans grandes perspectives.

La base, elle, est assez favorable à une extension de la lutte à condition qu'elle ne soit pas un simple baroud d'honneur, après le 13 mai, mais dans la mesure où tout le monde suivrait, que la grève puisse se développer.

Un tract CGT-CFDT appelle donc les travailleurs à débrayer le 15 mai :
– de 9 heures à 10 heures pour l'équipe du matin et la normale,
– de 15 heures à 16 heures pour l'équipe du soir,
– en fin de poste pour l'équipe de nuit.

Un meeting doit avoir lieu devant l'entrée de l'usine pour chaque débrayage.

[…] Le défilé compact des grévistes dans les ateliers, la vigueur des mots d'ordre lancés font une grosse impression et des travailleurs viennent doubler le nombre des manifestants.

Les jeunes ouvriers tiennent le rôle d'agitateurs. Ce sont eux qui hurlent les slogans, ce sont eux qui se mettent à la tête des manifestants débordant sans complaisance les responsables syndicaux, *improvisant un service d'ordre.* Bientôt un millier de grévistes défilent plusieurs fois dans l'usine. Les jeunes ont obligé les cadres syndicaux à prolonger d'une demi-heure le débrayage.

L'ensemble des manifestants se retrouve sous les fenêtres de la direction. Il n'est plus question d'abrogation des ordonnances mais :
*« Aux bureaux ! Aux bureaux !
Comité de grève ! »*

À ce moment, un responsable CFDT prend la parole pour apaiser les esprits, félicite l'ensemble des grévistes pour leur belle action et propose qu'elle se renouvelle dans les jours qui suivent.

À demi déçu, chacun retourne à son travail, discute de ce qui vient de se passer. Jusqu'à 14 h 30 les ouvriers vont souvent interrompre leur travail, reparler de la grève et la commenter aux camarades qui viennent prendre la relève.

L'après-midi : ceux-ci sont informés de ce qui se passe chez Sud-Aviation à Bouguenais. Ils ont pu, à midi, écouter les informations à la radio ou lire la nouvelle dans leur quotidien.

À 15 heures, un petit groupe d'ouvriers (moins nombreux que le matin même) démarre l'action. Les jeunes sont de nouveau en tête et animent le mouvement.

*« Notre arme, c'est la grève ».
La Grève chez Renault-Cléon,*
Maspero, 1968

Occupation de l'Odéon

APRÈS LES ÉVÉNEMENTS
DE CES DIX DERNIERS JOURS
APRÈS L'OCCUPATION
POLICIÈRE DU QUARTIER LATIN
ET DE NANTERRE
APRÈS LES BARRICADES
DE LA NUIT DU 10 MAI
ET LA SAUVAGE RÉPRESSION
POLICIÈRE
APRÈS LA GRÈVE GÉNÉRALE
DU 13 MAI ET L'OCCUPATION
DE LA SORBONNE

Un groupe d'artistes et de gens de théâtre, d'étudiants et de travailleurs constitués en comité d'action révolutionnaire ont occupé cette nuit, après la représentation du Théâtre des Nations, le Théâtre de France-Odéon, symbole d'une culture bourgeoise qu'ils contestent fondamentalement au même titre que la société capitaliste.

Dès l'occupation du théâtre, des commissions, ouvertes à tous, se sont créées pour entreprendre un travail de réflexion sur notre refus de la diffusion du spectacle-marchandise, et sur les possibilités de la situation nouvellement instaurée, pour développer un art de combat.

Ceci n'est évidemment qu'une première étape et nous demandons instamment aux professionnels du

L'Odéon occupé.

spectacle en liaison avec les travailleurs et les étudiants de nous rejoindre et aussi de prendre sur leur propre lieu de travail des initiatives similaires.

Afin de poursuivre ce mouvement nous vous appelons tous à venir ce soir jeudi 16 mai à 24 heures à l'ex-théâtre de France.

Commission de l'Information de l'Odéon, jeudi 16 mai 1968

Rapport sur l'occupation de la Sorbonne

L'occupation de la Sorbonne, à partir du lundi 13 mai, a ouvert une nouvelle période de la crise de la société moderne. Les événements qui se produisent maintenant en France préfigurent le retour du mouvement révolutionnaire prolétarien dans tous les pays. Ce qui était déjà passé de la théorie à la lutte dans la rue est maintenant passé à la lutte pour le pouvoir sur les moyens de production. Le capitalisme évolué croyait en avoir fini avec la lutte des classes : c'est reparti !
Le prolétariat n'existait plus : le revoilà.

En livrant la Sorbonne, le gouvernement comptait pacifier la révolte des étudiants, qui avaient déjà pu tenir toute une nuit dans ses barricades un quartier de Paris, durement reconquis par la police. On laissait la Sorbonne aux étudiants pour qu'ils discutent enfin paisiblement de leurs problèmes universitaires. Mais les occupants décidèrent aussitôt de l'ouvrir à la population pour discuter librement des problèmes généraux de la société. C'était donc l'ébauche d'un conseil, où les étudiants mêmes avaient cessé d'être étudiants : ils sortaient de leur misère.

[...] L'exemple de ce qu'il y avait de meilleur dans une telle situation a pris immédiatement une signification explosive. Les ouvriers ont vu en actes la libre discussion, la recherche d'une critique radicale, la démocratie directe, un droit à prendre. C'était, même limité à une Sorbonne libérée de l'État, le programme de la révolution se donnant ses propres formes. Au lendemain de l'occupation de la Sorbonne, les ouvriers de Sud-Aviation à Nantes occupaient leur usine. Au troisième jour, le jeudi 16, les usines Renault de Cléon et Flins étaient occupées, et le mouvement commençait aux NMPP et à Boulogne-Billancourt, à partir de l'atelier 70. À la fin de la semaine, 100 usines sont occupées, cependant que la vague de grèves, acceptée mais jamais lancée, par les bureaucraties syndicales, paralyse les chemins de fer et évolue vers la grève générale.

Le seul pouvoir dans la Sorbonne était l'Assemblée générale de ses occupants. À sa première séance, le 14 mars, elle avait élu, dans une certaine confusion, un comité d'occupation de 15 délégués, appartenant au groupe des Enragés de Nanterre et Paris, avait exposé un programme : défense de la démocratie directe dans la Sorbonne, et pouvoir absolu des conseils ouvriers comme but final. [...]

Le Comité d'occupation, regroupant autour de lui tout ce qu'il pouvait réunir d'occupants de la Sorbonne décidés à y maintenir la démocratie, lançait à 15 heures un appel à l'occupation de toutes les usines en France et à la formation de conseils ouvriers. [...]

C'est au moment même où l'exemple de l'occupation commence à être suivi dans les usines qu'il s'effondre à la Sorbonne. Ceci est d'autant plus grave que les ouvriers ont contre eux une bureaucratie infiniment plus solide que celle des amateurs étudiants ou gauchistes. En outre, les bureaucrates gauchistes, faisant le jeu de la CGT pour se faire reconnaître là une petite existence en marge, séparent abstraitement des ouvriers les étudiants qui « n'ont pas à leur donner de leçon ». Mais en fait, les étudiants ont déjà donné une leçon aux ouvriers : justement en occupant la Sorbonne, et en faisant exister un court moment une discussion réellement démocratique.

Tous les bureaucrates nous disent démagogiquement que la classe ouvrière est majeure, pour cacher qu'elle est enchaînée, d'abord par eux (présentement, ou bien dans leurs espérances, selon le sigle). Ils opposent leur sérieux mensonger à la « fête » dans la Sorbonne, mais c'est précisément cette fête qui portait en elle le seul sérieux : la critique radicale des conditions dominantes.

La lutte étudiante est maintenant dépassée. Plus encore dépassées sont toutes les directions bureaucratiques de rechange qui croient habile de feindre le respect pour les staliniens, en ce moment où la CGT et le parti dit communiste tremblent. L'issue de la crise actuelle est entre les mains des travailleurs eux-mêmes, s'ils parviennent à réaliser dans l'occupation de leurs usines ce que l'occupation universitaire a pu seulement esquisser.

Les camarades qui ont appuyé le premier comité d'occupation de la Sorbonne : le « Comité Enragés-Internationale situationniste », un certain nombre de travailleurs, et quelques étudiants, ont constitué un Conseil pour le maintien des occupations : le maintien des occupations ne se concevant évidemment que par leur extension, quantitative et qualitative, qui ne devra épargner aucun des régimes existants.

Paris, le 19 mai 1968,
Conseil pour le Maintien
des Occupations

Strasbourg, Nantes, Toulouse

*En province, selon les régions, les registres
d'intervention apparaissent différenciés : à Strasbourg,
autonomie de l'université ; la Loire-Atlantique
est paralysée, les commerces y sont fermés ;
à Toulouse, le maire justifie son attitude conciliante.*

Appel du 8 mai 1968 du Conseil étudiant de Strasbourg

[...] Les étudiants réunis en Conseil étudiant le 9 mai 1968 dans l'enceinte de la Faculté décident :

1. d'engager les débats pour les étendre dans toutes les facultés de Strasbourg et de France afin de rendre la grève et l'occupation des locaux effectives.

2. de poursuivre la grève illimitée à l'appel de l'UNEF.

a) Jusqu'à la libération de nos camarades emprisonnés avec amnistie totale.

b) Jusqu'à la reconnaissance effective de notre existence en tant que CONSEIL ÉTUDIANT AVEC TOUS LES POUVOIRS QUI SONT LES NÔTRES DÉSORMAIS :

---

commerce autorisé à ouvrir

Le Comité Intersyndical
CGT - CFDT - CGT-FO - FEN

*soucieux d'assurer le ravitaillement de la
population, donne son accord à l'ouverture des
petits commerces alimentaires, à condition que
les prix soient maintenus à des taux normaux.*

Fait à Nantes le 25 Mai 1968

Pendant le blocus de la Loire-Atlantique...

c'est avec nous que les Pouvoirs Actuels devront compter pour tout ce qui concerne notre avenir, celui de l'Université. Nos Conseils seront vigilants pour éviter toutes les tentatives de récupération des transformations profondes que notre mouvement – par son existence même – commence à opérer.

3. Nous lançons un appel à nos camarades de toutes les Universités de France :

a) afin qu'ils se constituent eux aussi en Conseils étudiants.

b) afin qu'ils entreprennent une critique radicale et constructive de l'Université et de la Société dans laquelle elle s'insère : en particulier réflexion sur le système des examens pouvant aboutir au boycott pour obtenir satisfaction dans nos revendications immédiates.

4. Nous appelons les centrales syndicales d'enseignants et de la Classe Ouvrière à se joindre à notre action.

Des barrages routiers à l'autodéfense : Nantes, 24 mai-31 mai

Les barrages routiers autour de Nantes ont été mis en place à partir du vendredi 24 mai. Les transporteurs en grève ont bloqué les principales artères avec l'aide des lycéens et étudiants pour renforcer leurs effectifs. Après le 26 mai, le syndicat FO – dominant dans les Transports, à Nantes – a agi en liaison avec le Comité central de Grève qui venait de se constituer.

Le Comité central de Grève distribuait déjà des bons d'essence ; il fut chargé en outre de délivrer des autorisations aux camionneurs pour que seules les marchandises nécessaires aux paysans ou au strict ravitaillement des grévistes puissent passer. [...] Les quatre principaux accès étaient surveillés par des piquets de 500 camionneurs et étudiants. Il y a eu quelques vitres brisées et pneus dégonflés pour les briseurs de barrages. Mais pas de pillage. Les flics n'osaient pas disperser leurs forces pour attaquer. Les mairies se faisaient plus ou moins complices de l'organisation mise en place.

Ainsi, pendant plusieurs jours, toute une ville a été isolée, les barrages fonctionnant comme filtres, prêts, même, à une résistance armée, si les maigres forces policières encore à la disposition du préfet voulaient intervenir. [...]

Nantes aura donc vécu pendant une semaine dans une situation quasiment d'auto-défense, que seul le démantèlement des autorités publiques a évité de se manifester violemment.

> *Cahiers de Mai,* n° 1, 5 juin 1968,
> « Nantes, toute une ville découvre
> le pouvoir populaire
> (ouvriers, paysans, étudiants) »

Lettre du maire aux Toulousains

Toulouse, 27 juin 1968
[...] Interprétant les événements et les commentant malicieusement, certains n'hésitent pas à propager les plus odieuses des insinuations tendant à faire du Maire de Toulouse le complice de ceux qui ont tenté, vainement, ici, ce qui, hélas, a été le lot de nombreuses Villes de France.

Ils poursuivent le but de ruiner auprès de vous le crédit très large qu'en toutes circonstances vous n'avez cessé de m'accorder.

Je vous dois de rétablir la vérité :

OUI j'ai parlé au balcon du Capitole, à côté des drapeaux noirs et rouges, MAIS ON OUBLIE DE DIRE QUE CELA ÉTAIT POUR APAISER UNE FOULE DE PLUS DE CINQ MILLE MANIFESTANTS DONT, EN L'ABSENCE DE TOUTE PROTECTION POLICIÈRE, L'UN D'EUX AVAIT, POUR LES METTRE EN PLACE, ESCALADÉ LA FAÇADE DU MONUMENT.

OUI, j'ai fait ouvrir les portes de la Mairie, MAIS ON OUBLIE DE DIRE QUE CES PORTES ALLAIENT ÊTRE ENFONCÉES ET L'ENSEMBLE DE L'ÉDIFICE ENVAHI, ALORS QUE SEUL L'ACCÈS DE LA COUR A ÉTÉ DONNÉ.

Ce soir-là, par la fermeté de mon attitude, de celle des Élus républicains qui m'entouraient [...], L'ORDRE A ÉTÉ MAINTENU À TOULOUSE

JE VOUS LAISSE À PENSER CE QU'AURAIT PROVOQUÉ DANS NOTRE SUD-OUEST, L'ANNONCE DE L'OCCUPATION DU CAPITOLE DE TOULOUSE PAR LES ENRAGÉS QUE VOUS SAVEZ.

Fidèle à leur enseignement, je suis certain que Jean Jaurès et Léon Blum, ces grands Patriotes, n'auraient, ni l'un, ni l'autre, désavoué mon attitude conforme à ce que vous attendez de modération, de sagesse de celui que vous avez mis à la tête de notre Cité. [...]

> Louis Bazerque,
> maire de Toulouse

Une révolution à l'affiche

Dès la mi-mai, les premières affiches de Mai 68 sortent des ateliers de l'École des Beaux-Arts et de l'École des Arts décoratifs. Leurs caractéristiques : une technique de production rapide permettant une grande réactivité aux événements du jour, la sérigraphie, et des choix graphiques et typographiques efficaces malgré des moyens limités. L'absence de signature sur les affiches marque le caractère collectif de cette action.

L'Atelier populaire des Beaux-Arts

Le 8 mai, l'École des Beaux-Arts est en grève… Dès le 14 mai, quelques élèves s'étaient retrouvés spontanément dans l'Atelier de lithographie et, prenant partie pour l'action directe, tiraient une première affiche : « Usine, université, union ». Le 16 mai… élèves et peintres de l'extérieur décident d'occuper les ateliers de peinture.

Comment travaille-t-on ? Les projets d'affiches faits en commun après une analyse des événements de la journée ou après des discussions aux portes des usines, sont proposés démocratiquement en assemblée générale. Voici comment on juge :

l'idée politique est-elle juste ?

l'affiche transmet-elle bien cette idée ?

Puis les projets acceptés sont réalisés en sérigraphie et lithographie, par des équipes qui se relaient nuit et jour.

Atelier populaire présenté par lui-même,
U.U.U., 1968

Éric Seydoux a activement contribué à la création d'un atelier de sérigraphie à l'École des Beaux-Arts en Mai 68.

C'était une technique que je maîtrisais car je travaillais déjà dans un atelier de sérigraphie à Paris-Arts, situé à un jet de pierre de l'École des Beaux-Arts. À cette époque, c'était un procédé peu connu des artistes mais qui s'était beaucoup développé dans le secteur industriel. Parmi ses origines, se trouve la technique d'impression dite à la lyonnaise, aux XIXᵉ et XXᵉ siècles. On a beaucoup dit que l'armée américaine l'avait utilisée au moment du Débarquement pour établir leur signalisation à l'aide de camions atelier, contribuant ainsi à sa

propagation. À l'École des Beaux-Arts, la lithographie s'avérait d'une grande lenteur pour imprimer les affiches. Par contre la sérigraphie, procédé d'impression rapide, peu cher et facile de maniement, fut unanimement adoptée pour répondre aux besoins de réactivité.

Un dimanche de mai, je rencontrai Guy de Rougemont, un plasticien connu à Paris-Arts, venu avec du matériel, cadres, raclettes et encres. La première affiche tirée, un dimanche de mai, reste,

L'affiche de Mai 68 ci-dessus fait référence à la manifestation du 8 février 1962 et aux 9 morts de la station de métro Charonne. Roger Frey était alors ministre de l'Intérieur. L'écho de cet événement est encore dans les esprits lorsque le général de Gaulle lance cet appel le 30 mai 1968 : « Il faut que s'organise l'action civique. » Comme dans l'affiche « Vermine fasciste » (page de gauche), il s'agit ici de détourner et retourner la parole du chef de l'État.

dans mon souvenir, le poing levé. Un peu plus tard, on tirait quatre ou cinq affiches par nuit. Il y avait toujours beaucoup de monde sur place pour aider au tirage et des volontaires se chargeaient de les coller, surtout au Quartier latin mais aussi rive droite. Le papier utilisé était

le centre de bobines de papier journal qui ne pouvaient plus passer en machine. Les affiches étaient pour la plupart monochromes, faites avec des couleurs de récupération. Ne l'oublions pas, les moyens avec lesquels nous avons réalisé toutes ces affiches étaient très frustes. C'est le procédé de réalisation qui fit le style de 68. Il permettait de la réactivité face aux événements quotidiens. Les auteurs étaient généralement anonymes. La critique des projets à l'assemblée générale était souvent houleuse. Une morale présidait à la fabrication de ces affiches : on n'avait pas le droit de les emporter ni de se les approprier.

Éric Seydoux, propos recueillis par Christine Fauré, septembre 2007

Les affiches de Mai 68 ne comportent pas de signature. Beaucoup d'artistes refusent encore aujourd'hui de reconnaître la paternité de ces œuvres, au nom de l'esprit collectif de 68.

Selon le peintre Eduardo Arroyo, les peintres qui ont participé activement à l'atelier des Beaux-Arts sont Gilles Aillaud, Francis Biras, Guy de Rougemont, Éric Seydoux, Bruno Queysane, professeur à l'école

Usines Universites Union

Ces trois affiches sont des réalisations de l'Atelier populaire des Beaux-Arts. Ci-dessus, affiche dite des « trois U ».

L'Atelier populaire de l'ex-École des Beaux-Arts, réalisant, en sérigraphie, une des versions de l'affiche « La chienlit, c'est lui ». À droite, une affiche réalisée par l'Atelier des Arts décoratifs.

d'architecture de Grenoble, Pierre Buraglio.

Selon le peintre et scénographe Francis Biras, ce sont, parmi les tout premiers : Gilles Aillaud, Eduardo Arroyo et Kowalski.

Selon Éric Seydoux, ce sont Eduardo Arroyo, Francis Biras, Pierre Buraglio, Gérard Fromanger, Bernard Rancillac et Guy de Rougemont.

Témoignages mis en forme
par Christine Fauré

L'Atelier populaire n° 2 des Arts déco

Pierre Bernard, graphiste, était en Mai 68 étudiant à l'École des Arts décoratifs de Paris.

L'Atelier populaire n° 2 : c'est ainsi que se désignait l'École des Arts décoratifs en mai 1968.

Un rideau en rayonne, fixé sur un encadrement en bois, fit l'affaire.
Dès le 14 mai sortait la première affiche

« Étudiants travailleurs SOLIDAIRES » ; elle s'inscrivait dans le même registre que la première affiche tirée dans l'Atelier populaire des Beaux-Arts : « usine, université, union » ou affiche dite des trois U.

L'acceptation ou le rejet des affiches est sous le contrôle de l'Assemblée générale. Ces affiches rompent avec les modes esthétiques en cours, psychédéliques ou autres. À travers une image souvent violente, dont le sens est immédiatement compréhensible, elles sont autant de prises de parole dont le caractère volontariste, affirmatif, rappelle le style des caricaturistes anarchistes du XIXᵉ siècle (Daumier) et du début du XXᵉ (*L'Assiette au beurre*).

Les lettres n'étaient pas peintes comme dans la plupart des affiches des beaux-arts mais dessinées en caractères typographiques ; différentes polices d'imprimerie étaient utilisées – tracts, affiches n'émanaient pas toujours d'une proposition personnelle. L'atelier

répondait aussi aux commandes :
« la police vous parle tous les soirs
à 20 heures » avec le sigle de l'ORTF
(6 juin) : cette affiche répondait à une
demande des journalistes et reprenait
à la lettre ce qu'ils avaient dit ; « non aux
bidonvilles, non aux villes bidon », à la
demande d'architectes et d'urbanistes qui
se réunissaient à la Mutualité le 18 juin.

Les tirages des affiches de l'atelier
populaire n° 2 se situaient entre 200 et
600 exemplaires. Les tirages des affiches
situationnistes imprimées en offset
pouvaient atteindre 2 000 exemplaires.

Pierre Bernard, propos recueillis
par Christine Fauré, juin 2007

« La femme n'est pas un objet de consommation »

*Lors des assemblées générales, les critères
d'élection des affiches qui seront
reproduites sont-ils toujours parfaitement
démocratiques ? On peut en douter…*

Des gens qui ne savaient pas du tout
dessiner se mettent à produire : leurs
affiches bien souvent sont les meilleures…
Une d'entre elles parmi les plus belles qui
soient sorties mais n'a pas été tirée hélas
(nous avions des slogans plus urgents à
faire passer), une camarade l'avait réalisée
sur un moment de colère. Je la revois, allant
de l'un à l'autre, enflammée, suppliant
qu'on lui dessine un homme très musclé et
une femme prosternée à ses pieds.

Personne ne voulait le faire.

« Débrouille-toi ! Essaie, n'ai pas
peur… – Mais je ne sais rien faire !…
– Tant pis pour toi ! »

Alors, résolue, elle prit un crayon, du
papier, et créait le plus beau projet que
nous ayons pu voir, fort dans sa naïveté
et sa simplicité sincère.

L'affiche en question : « La femme
n'est pas un objet de consommation ».
À l'AG du soir, sa maquette vivement
appréciée par tous les camarades, n'a pu
passer au vote.

Fanny Vallon,
« À l'Atelier populaire »,
Partisans, juillet-septembre 1968, n° 43

À quelques exceptions près, les femmes
ne sont pas représentées sur les affiches
de Mai 68. Ci-dessus, affiche de l'Atelier
des Beaux-Arts de Montpellier. Les affiches
sont non signées dans leur majorité
mais l'on sait que l'Atelier populaire des
Beaux-Arts comptait peu de peintres femmes.

68 : année zéro de la libération de la femme

Juchées sur des épaules masculines pendant les manifestations, brandissant l'étendard de la révolte, qu'il soit rouge, noir et même tricolore le 30 mai, des jeunes femmes refont le geste de la citoyenne porte-drapeau chère à l'imagerie républicaine. Mais elles ne jouent aucun rôle politique, ne sont jamais porte-parole du mouvement contestataire. En grève dans les usines, lorsqu'elles sont majoritaires, les femmes demandent parfois l'égalité des salaires.

Des chances égales

Étudiante,

Tu as été sur les barricades, la police t'a chargée et matraquée comme les étudiants, tes camarades.

Tu participes aux discussions, aux travaux des commissions, aux grandes manifestations populaires.

Des lycées de filles, des instituts féminins ont parfois entraîné les autres établissements et, parmi les dix millions de grévistes, les travailleuses tiennent aussi leur place.

Or, au cours de ces journées décisives, soit dans les grands rassemblements, soit à la radio ou à la télévision, aucune femme n'est apparue comme porte-parole.

Dans les pourparlers entre syndicats, patronat et gouvernement, nul n'a réclamé formellement l'égalité de rémunération, nul n'a envisagé la création de services collectifs et de crèches pour soulager les femmes de leur double journée de travail.

Dans l'immense débat qui s'est instauré à travers le pays, dans la grande remise en cause des structures et des valeurs, aucune voix ne s'élève pour déclarer que le changement des rapports entre les hommes implique aussi le changement des rapports entre les hommes et les femmes.

Les étudiants et les jeunes veulent une morale identique, pour les filles et les garçons. C'est un aspect du changement. Ce n'est qu'un aspect.

D'autres tabous sont à renverser.

Il faut que la société qui va se construire soit l'œuvre des femmes aussi bien que des hommes, qu'elle donne à toutes les femmes des chances égales à celle des hommes. Si tu es d'accord là-dessus qu'es-tu disposée à faire ? Viens en discuter avec nous.

Mouvement démocratique féminin.
Stand dans la cour de la Sorbonne.
2, rue Leneveux, Paris XIVe (fin juin)

Mai 68 et FMA

La cour de la Sorbonne grouillait de mouvement et de couleur. Nous étions assises, Jacqueline et moi, sur des marches. Elle n'en revenait pas ;

elle suivait des yeux les allées et venues avec un sourire ravi. Je me sentais moi aussi sur une autre planète. Depuis le début des « événements », je vivais un rêve. Si j'avais pu, j'aurais campé dans cette cour. J'y tenais un stand, pour y être le plus souvent possible.

« Et voilà FMA au complet ! » m'exclamai-je avec un peu d'amertume.

« Betty est passée l'autre jour, mais elle n'a pas beaucoup de temps. Elle finit sa thèse. »

Je ne comprenais pas comment on pouvait penser à autre chose, être ailleurs, alors que le vieux monde était peut-être en train de basculer…

Et encore Betty était une des rares, nous étions quatre ou cinq, parfois deux à venir tous les quinze jours aux réunions de FMA : Féminin, Masculin, Avenir.

Nous avions consacré les premières réunions du groupe à nous chercher un nom, pour avoir l'impression d'exister. C'était il y avait presque un an. Avec Jacqueline, nous rongions notre frein lors des ronronnantes réunions du MDF. Pourquoi ne pas essayer de créer un groupe plus radical, en liaison avec le MDF ?

Je battis le rappel de mes relations, hommes et femmes « féministes », Jacqueline aussi. Nous pensions, par opposition aux associations féminines traditionnelles, que c'est avec les hommes qu'il fallait envisager la réflexion et la lutte pour changer les rapports entre femmes et hommes. Nous n'avions pas peur des hommes, comme ces dames timides. Nous allions comprendre bientôt que notre analyse était fausse.

Nous devions être une quinzaine à la première réunion de FMA, avec quelques hommes qui ne sont plus revenus. Et maintenant notre maximum était quatre. […] Après avoir tapissé

de nos considérations féministes deux ou trois couloirs, nous nous sentions mieux. Nous nous sommes de nouveau assises sur les marches.

« C'est mieux que rien. Et si on louait un amphi pour un débat sur les femmes ? »

Cinq minutes plus tard, nous étions devant une salle de cours transformée, entre autres, en salle de réservation des amphis. Un jeune chevelu s'occupa de nous.

« Vous voulez faire un débat sur les femmes ? Extra ! Ça fait quinze jours qu'il y a la révolution et on n'a pas encore parlé des femmes. Pour quand ? Demain ? Il ne faut plus perdre de temps. »

Tout allait si vite…

Le lendemain, grand jour. Vingt heures. Nous avions passé la journée à préparer une introduction. Je tremblais d'émotion. Paralysée à l'idée de parler devant cette immense salle. Viendrait-il seulement du monde ? Nous étions réfugiées derrière la grande chaire, tout en bas de la salle. En haut les portes s'ouvraient, laissaient passer des gens, de plus en plus de gens.

Une heure plus tard, la salle est comble. Il faut commencer. Je lâche la main de Jacqueline que je tiens agrippée sous la table. La gorge serrée, j'ouvre la bouche. Des sons sortent, ça va vite. Le silence s'est fait. J'arrive au bout de mon speech. Court. J'ai horreur de faire long. Ouf ! Je suis tout en sueur. J'ai fini. On m'a écoutée. C'est à Jacqueline.

Je regarde la salle. J'ose. Des gens partout, par terre, entassés. C'est donc possible que tous viennent pour parler des femmes ? Qu'ils nous écoutent ? […]

Très vite, les questions fusent […].

Sur un cahier déposé sur la table, les noms s'alignent. FMA n'aura jamais autant d'adhérents !

Anne Tristan et Annie de Pisan
Histoire du MLF, Calmann-Lévy, 1977

1968 : un état du monde

*En Amérique du Nord et du Sud, en Europe, en Extrême-Orient,
le partage du monde en deux blocs établi depuis la Seconde Guerre
mondiale se fragmente. Une série d'affrontements se propage selon des
lignes de force imprévisibles. Le Mai français est la version hexagonale
d'un « frémissement bizarre qui court la planète » (J.-C. Guillebaud).*

Depuis 1946, la guerre froide, guerre non déclarée, fait son œuvre. Les Américains ont instauré sur la base d'une « théorie de l'endiguement » un statu quo entre le monde libre et les pays communistes. Il y avait et il y a toujours deux Corées (1948-1953), il y avait deux Vietnam après la Convention de Genève de 1954. À partir de 1961, les deux Allemagne sont séparées par un « mur de protection antifasciste ». Une ceinture planétaire de bases américaines, d'aérodromes ou de rampes de lancement est installée par l'aviation stratégique des États-Unis. En multipliant les frontières entre monde pro-occidental et pays communistes, les États-Unis reviennent à une conceptualisation propre à leur histoire territoriale garante de son unité, selon la doctrine de F.J. Turner (1893), réinterprétée par J. F. Kennedy, sous l'appellation de Nouvelle Frontière. En l'occurrence, l'unité recherchée n'est pas celle des populations, elle est idéologique. L'Espagne qui pourtant ne fait pas partie de l'Alliance atlantique, abrite trois bases américaines sur son sol. Dans les années 1960, cette protection américaine est perçue comme une tutelle.

Le centre des crises internationales s'est déplacé. La menace soviétique a diminué. La rivalité entre Moscou et Pékin marque la fin du monolithisme communiste. En mars 1963, le Comité central du Parti communiste chinois adresse à son alter ego soviétique une lettre en 25 points qui ébauche une recomposition des forces non seulement à l'intérieur du champ communiste mais aussi à l'international. En Chine, la Grande Révolution Culturelle Prolétarienne de 1966, en dépit des atrocités qu'elle a entraînées, a sécrété paradoxalement un nouveau modèle révolutionnaire auquel nombre de contestataires occidentaux s'identifie : une nouvelle doctrine communiste est née, chef de file des non alignés.

Pour la France, la diplomatie du général de Gaulle en charge du pays depuis 1958, s'est ralliée, après la fin de la guerre d'Algérie, à « la réalisation progressive d'une Europe globale, d'une Europe tout entière où l'Allemagne réunifiée retrouverait naturellement sa place ». Un traité de coopération franco-allemand est signé en 1963 mais surtout, en 1966, la France devenue une puissance atomique, sort de l'OTAN et de Gaulle, pour revenir à une « situation normale de souveraineté » sonne le départ du sol français, le 1er avril 1967, des bases américaines, sous contrôle intégré. Il développe en Indochine, contre la guerre américaine, une politique de neutralité du Vietnam, très mal vue par l'administration Johnson et un rapprochement avec la Chine. Pourtant, en 1962, au moment de la crise des missiles soviétiques pointés sur les

États-Unis à partir de Cuba et malgré des relations diplomatiques et commerciales avec le régime de Fidel Castro, il a pris parti sans aucune équivoque pour l'allié américain.

Le Printemps de Prague n'obéit pas à un simple synchronisme avec le Mai français. Il s'inscrit dans le sillage de la déstalinisation venue de Khrouchtchev et annonce la décomposition du bloc soviétique qui s'accomplit 20 ans plus tard. Une démocratisation du système communiste est à l'ordre du jour : « Mettre le principe de l'argumentation devant le principe d'autorité du parti communiste », selon les mots d'un partisan d'Alexandre Dubcek alors premier secrétaire du Parti communiste tchécoslovaque (1968-1969). Aux 20 et 21 août 1968, avec l'occupation des forces armées du Pacte de Varsovie conclu en mai 1955, le train des réformes économiques s'arrête net. Du côté soviétique, cette occupation longuement réfléchie a pour objectif de délimiter la place intouchable de l'URSS dans sa zone d'influence. Les quatre pays de l'Est intervenus à ses côtés sont la RDA, la Pologne, la Bulgarie et la Hongrie. Se sont abstenues la Roumanie, la Yougoslavie et l'Albanie ; ces pays nourrissent à l'égard de la Tchécoslovaquie une solidarité relative, sans prendre fait et cause pour les événements mais ils pensent qu'il faut avant tout empêcher l'URSS d'intervenir militairement. La Pologne a été ébranlée par une crise politique sans effusion de sang déclenchée par les étudiants au mois de février ; elle attend son Dubcek : « URSS = agresseur – Brejnev = Hitler », « Honte aux agresseurs, la Tchécoslovaquie n'est pas seule », peut-on lire, au lendemain de l'invasion soviétique en Tchécoslovaquie, sur des panneaux d'affichage ou dans des tracts.

En mai 1968, le général de Gaulle est désigné par des slogans désobligeants tel « 10 ans ça suffit » ; il est moqué dans des affiches : « La chienlit, c'est lui » ; il est comparé explicitement à Hitler, ce qui pour le résistant de 1940 demeure incompréhensible. Pourtant, il maintient dans ses fonctions pendant les événements, le préfet de Paris Grimaud qui traite en douceur la mobilisation étudiante. De Gaulle se rend dans la Roumanie de Ceausescu les 14 et 18 mai. Peut-être veut-il savoir ce qu'il en est de cette Europe de l'Atlantique à l'Oural qu'il appelle de ses vœux. La dimension géopolitique des événements de mai ne lui a pas échappé ! Il se trouve aussi que Bucarest est le lieu du dialogue diplomatique secret entre Nord-Vietnamiens et Américains après l'offensive du Têt menée par le Vietcong depuis le 31 janvier et en février 1968.

Les icônes du castrisme sont de toutes les manifestations mais cela n'empêche pas Castro, à l'occasion d'une réunion internationale d'intellectuels à Cuba, de prendre parti en faveur de l'occupation soviétique en Tchécoslovaquie.

Le mouvement des étudiants mexicains de 1968 obéit à des raisons nationales : l'insuffisance matérielle de l'Université, l'autoritarisme du régime politique du président de la République Gustavo Díaz Ordaz, qui n'applique pas la Constitution du Mexique, aussi proche de Washington que du gouvernement cubain. Mais ce sont des raisons liées à la région qui ont donné son poids politique au mouvement de 1968. Ici, le rôle de Cuba, son influence sur la jeunesse et son soutien aux étudiants ne sont pas un simple décor ; l'épopée de Che Guevara tué en Bolivie en 1967 reste un modèle à suivre ; des guérillas se sont formées au nord-ouest et au sud-est du Mexique, dans les provinces de Chihuahua et de

Guerrero, là où les journaliers agricoles perçoivent les salaires les plus misérables. Le 29 juillet 1968, le chef d'une guérilla « adresse son soutien aux étudiants de l'Université, au peuple mexicain ». La dénonciation des interventions de la CIA en Amérique latine, comme l'invasion de Saint-Domingue en 1965 pour faire échec à un « soulèvement communiste » retentit toujours dans les manifestations de rue et les meetings. La cruauté de la répression qui fait plus de trois cents morts à Mexico, le 2 octobre 1968, sur la place dite des Trois-Cultures, au centre du quartier de Tlatelolco, marque un refus sans appel du gouvernement en place, de toute prise en considération des aspirations étudiantes. Le PRI, le Parti révolutionnaire institutionnel, autrement dit le parti gouvernemental, dénonce aussi une provocation de l'étranger. Journées plus sanglantes encore que les événements de Prague de la même année où l'on décompterait moins d'une centaine de morts.

Le 16 octobre, aux XIXe Jeux olympiques d'été tenus à Mexico, deux sprinters américains, Tommie Smith et John Carlos, lèvent sur le podium un poing ganté vengeur – à l'instar du Black Power –, pour alerter l'opinion publique mondiale sur la ségrégation des Noirs qui mine la société américaine. Martin Luther King a été assassiné au moins d'avril.

En Europe, en RFA, la protestation prend un tour idéologique. La capitulation de l'université allemande sous le nazisme a conduit à la création de l'Université libre de Berlin qui, pour répondre à la nouvelle exigence démocratique, se dote de nouveaux organes représentatifs. Mais le passage de la révolte universitaire à d'autres classes sociales ne se fait pas ; chaque contestation, comme dans une course, reste dans son couloir. En France,

en Italie et à un degré moindre en Espagne, le mouvement ouvrier a rejoint les étudiants, avec son tropisme autogestionnaire, sa méfiance à l'égard des hiérarchies en place, son goût pour l'horizontalité des rapports sociaux. Ces mouvements préfigurent un renouveau démocratique. L'individualisme soixante-huitard, à la fois loué et stigmatisé, en quête d'autonomie, veut mettre fin à toutes les arriérations dont les sociétés sont toujours porteuses. Mais pour autant, faut-il installer ces événements dans une longévité historique sur la base d'une histoire des représentations, celle des récits et des productions artistiques, au détriment de ce qui les réunit sur le moment : un anti-américanisme politique, une guerre à la prétention des États-Unis et de l'URSS de protéger le monde et de lui imposer leurs us et coutumes.

Les Pentagon Papers, recueil diplomatique préparé par le département de la Défense sur la guerre du Vietnam, montrent à quel point les gouvernements américains successifs ne savent rien de la société vietnamienne qu'ils sont censés libérer et amener à la démocratie. Robert S. McNamara, le ministre de la Défense des États-Unis, le reconnaît lui-même en 1995 dans son livre *Avec le recul*.

La dimension géopolitique de l'anti-américanisme est évidente chez les Zengakuren japonais – ligue étudiante créée en 1948 –, dont toute l'action tourne autour de l'évacuation des bases américaines. En France, elle est voilée, surchargée par une histoire révolutionnaire envahissante dans laquelle les événements de mai ont toutefois puisé codes et références, les barricades par exemple. Mais l'année 68 est mémorable parce que face à une mondialisation de la guerre, elle oppose une révolte globale.

Christine Fauré

Invasion des troupes du pacte de Varsovie à Prague, Tchécoslovaquie, mai 1968.

LISTE DES SIGLES

AFGES Association fédérative générale des étudiants de Strasbourg.

AGE Association générale des étudiants.

AGET Association générale des étudiants de Toulouse.

ARCUN Association des résidents de la cité universitaire de Nanterre.

BAPU Bureau d'aide psychologique universitaire.

CAL Comités d'action lycéens.

CFDT Confédération française démocratique du travail.

CGT Confédération générale du travail.

CLEO Comité de liaison étudiants-ouvriers.

CLER Comité de liaison des étudiants révolutionnaires.

CNT Confédération nationale du travail.

CVB Comités Viêt-nam de base.

CVN Comité Viêt-nam national.

FER Fédération des étudiants révolutionnaires.

FEN Fédération de l'Éducation nationale.

FGEL Fédération des groupes d'études de Lettres (UNEF-Sorbonne).

FNSEA Fédération nationale des syndicats d'exploitants agricoles.

FO Force ouvrière.

FRUF Fédération des résidences universitaires de France.

JCR Jeunesse communiste révolutionnaire.

LEA Liaison des étudiants anarchistes.

MAU Mouvement d'action universitaire.

MNEF Mutuelle nationale des étudiants de France.

MODEF Mouvement de défense des exploitations familiales.

ORTF Office de radiodiffusion-télévision française.

PSU Parti socialiste unifié.

SDS Sozialistischer Deutscher Studentenbund.

SNES Syndicat national de l'enseignement secondaire.

SNE-Sup Syndicat national de l'enseignement supérieur.

UDR Union des démocrates républicains.

UEC Union des étudiants communistes.

UJCML Union des jeunesses communistes marxiste-léniniste.

UNEF Union nationale des étudiants de France.

BIBLIOGRAPHIE

SOURCES

– Archives du Quai d'Orsay, 91 QO 577-579.
– *Guide, les tracts de Mai 68*, Bibliothèque nationale (BnF), IDC, 1987.
– *Mémoires de 68, guide des sources d'une histoire à faire*, Verdier, 1993.
– *No ©opyright. Sorbonne 68. Graffiti*, Paris,

Verticales, 1998.

Ont été plus particulièrement consultés pour cet ouvrage :

Bas-Rhin : Archives municipales de Strasbourg. Hauts-de-Seine : Bibliothèque de documentation internationale contemporaine (BDIC) ; Université de Nanterre. Île-de-France, Paris : BNF ; Centre de recherche et d'histoire des mouvements sociaux et du syndicalisme (CRHMSS) ; université de Paris I-Panthéon-Sorbonne. Loire-Atlantique : Centre d'histoire du travail, Nantes. Rhône : Bibliothèque municipale de la Part-Dieu et Centre de documentation libertaire, Librairie La Gryffe, Lyon.

OUVRAGES GÉNÉRAUX

– Aron, Raymond, *La Révolution introuvable*, Paris, Fayard, 1968.
– Artières, Philippe, et Zancarini-Fournel, Michelle, *68, Une histoire collective, 1962-1981*, Paris, La Découverte, 2008.
– Auzias, Claire, *Trimards, « Pègre » et mauvais garçons de Mai 68*, Atelier de création libertaire, 2017.
– Balladur, Édouard, *L'Arbre de mai*, Paris, Marcel Jullian, 1979, Paris, Plon, 1998.
– Backmann, et René, Riou, Lucien, *L'Explosion de mai, histoire complète des « événements »*, Paris, Robert Laffont, 1968.
– Bensaïd, Daniel, et Weber, Henri, *Mai 68 : une répétition générale*, Paris, Maspero, 1968.
– Cohen, Maurice (sous la dir.), *Le Bilan social de l'année 1968*, Paris, La Vie ouvrière, 1969.
– Dansette, Adrien, *Mai 1968*, Paris, Plon, 1971.
– Delale, Alain, et Ragache, Gilles, *La France de 68*, Paris, Le Seuil, 1978.
– Demonet, Michel, *et al. Des tracts en mai 68*, 1975 ; Paris, Champ Libre, 1978.
– Dreyfus-Armand Geneviève, Frank, Robert, Lévy, Marie-Françoise, et Zancarini-Fournel, Michelle (dir.), *Les Années 68, Le temps de la contestation*, Bruxelles, Éditions Complexe, 2000.
– Fauré, Christine, *Mai 68 en France ou la révolte du citoyen disparu*, Paris, Seuil / Les empêcheurs de penser en rond, 2008.
– Guillebaud, Jean-Claude, *Les Années orphelines, 1968-1978*, Paris, Le Seuil, 1978.
– Joffrin, Laurent, *Mai 68, histoire du mouvement*, Paris, Points Histoire, série documents, 2008.
– Morin, Edgar, Lefort, Claude, et Coudray, Jean-Marc, *Mai 68 : la brèche, première réflexion sur les événements*, Paris, Fayard, 1968.
– Salvaresi, Élisabeth, *Mai en héritage*, Paris, Syros, 1988.
– Schnapp, Alain, et Vidal-Naquet, Pierre,

Journal de la Commune étudiante, textes et documents, novembre 1967-juin 1968, Paris, Le Seuil, 1969, 1988.
– Touraine, Alain, *Le Communisme utopique, le mouvement de Mai 1968*, Paris, Le Seuil, 1968.

LES MOUVEMENTS INTERNATIONAUX

– Balestrini, Nanni, Moroni, Primo, *La Horde d'or, la grande vague révolutionnaire et créative, politique et existentielle, Italie 1968-1977*, Paris, L'Éclat, 2017.
– Bosc, Serge, et Bouguereau, Jean-Marcel, « Le Mouvement des étudiants berlinois, documents sur l'Université critique », *Les Temps Modernes*, n° 265, juillet 1968.
– Caute, David, *1968 dans le monde*, Paris, Laffont, 1988.
– Dreyfus-Armand, Geneviève, et Gervereau Laurent, *Mai 1968, les mouvements étudiants en France et dans le monde*, Nanterre, BDIC, 1988.
– Fejtö, François, Rupnik, Jacques, *Le Printemps tchécoslovaque*, préface de Vaclav Havel, édition Complexe, Bruxelles, 1999-2008.
– Granjon, Marie-Christine, *L'Amérique de la contestation, les années 60 aux États-Unis*, Paris, Presses de la Fondation nationale des Sciences politiques, 1985.
– Halliday, Fred, « *Students of the World Unite* », *in* Cockburn, Alexander, et Blackburn, Robin (eds.), *Student Power, Problems, Diagnosis, Action*, Londres, Penguin Books, 1969.
– Kiejman, Claude, et Held, Jean-Francis, *Mexico, le pain et les jeux*, Paris, Le Seuil, 1969.
– Lempérière-Roussin, Annick, « Le Mouvement de 1968 au Mexique », *Vingtième Siècle*, n° 23, juillet-septembre 1989.
– Martin, André, « La révolte des jeunes en Pologne », *Études*, juin-juillet 1968.
– *La Révolte des étudiants allemands, Uwe Bergmann, Rudi Dutschke, Wolfgang Lefèvre, Bernd Rabehl*, NRF, Gallimard, 1968.
– Rossanda, Rossana, *L'Anno degli studenti*, Bari, de Donato, 1968 ; « Les étudiants comme sujets politiques », *Les Temps Modernes*, n° 266-267, août-septembre 1968.
– Tigrid, avel., *Le Printemps de Prague*, Paris, Le Seuil, 1968.
– Tribunal Russell, *Le Jugement de Stockholm*, Paris, Gallimard, 1967.

NANTERRE, LES PRÉMISSES DU MOUVEMENT

– Baynac, Jacques, *Mai retrouvé*, Paris, Laffont, 1978.
– Cohn-Bendit, Daniel, *Le Gauchisme, remède à la maladie sénile du communisme*, Paris, Le Seuil,

1968 ; *Le Grand Bazard*, Paris, Belfond, 1975.
– Delanoë, Nelcya, *Nanterre la Folie*, Paris,
Le Seuil, 1998.
– Dumontier, Pascal, *Les Situationnistes et Mai
1968, théorie et pratique de la révolution (1966-
1972)*, Paris, Ivrea, 1995.
– Duteuil, Jean-Pierre, *Nanterre 1965-66-67-68,
vers le mouvement du 22 mars*, Mauléon, Acratie
(dif-pop.), 1988
– Feuerstein, Pierre, *Printemps de révolte à
Strasbourg*, Saisons d'Alsace, 1968.
– *Internationale situationniste*, Paris, Fayard, 1997.
– Guin, Yannick, *La Commune de Nantes*, Paris,
Maspero, 1969.
– Kravetz, Marc, *L'insurrection étudiante, 2-13
mai 1968*, ensemble critique et documentaire
avec la collaboration de Raymond Bellour et
Annette Karsenty, Paris, Union générale
d'édition, 1968.
– Lefèbvre, Henri, *L'irruption de Nanterre au
sommet*, Paris, Anthropos, 1968.
– Monchablon, Alain, *Histoire de l'UNEF de 1956
à 1968*, Paris, PUF, 1983.
– « Le Mouvement du 22 mars, ce n'est qu'un
début, continuons le combat », *Cahiers libres*,
n° 124, Paris, Maspéro, 1968.
– Sauvageot, Jacques, Geismar, Alain, Cohn-Bendit,
Daniel et Duteuil, Jean-Pierre, *La Révolte étudiante,
les animateurs parlent*, Paris, Le Seuil, 1968.

MANIFESTATIONS ET BARRICADES

– Boissier, Cédric, « La Manifestation du 30 mai
1968 », mémoire de DEA-Études politiques,
IEP de Grenoble, 1993.
– Comités d'action lycéens, *Les lycéens gardent
la parole*, Paris, Le Seuil, 1968.
– Corbin, Alain, et Mayeur, Jean-Marie (ed.),
La Barricade, Publications de la Sorbonne, 1997.
– Georgi, Frank, « Sur la manifestation du 30 mai
1968 », *Vingtième Siècle*, n° 48, octobre-décembre
1995.
– Geismar, Alain, July, Serge, et Morane, Erlyn,
Vers la guerre civile, Éditions et publications
premières, 1969.
– Glucksmann, André, *Stratégie et révolution
en France, 1968*, Paris, Christian Bourgois, 1968.
– Grimaud, Maurice, *En mai, fais ce qu'il te plaît*,
Paris, Stock, 1977.
– Guilbard, Sarah, *Mai 68 Nantes*, Nantes,
Coiffard Édition, 2004.
– Labro, Philippe, *Les Barricades de Mai*, Paris,
Solar-Gamma, 1968.
– *Notes et études documentaires, Chronologie des
événements de mai-juin 1968*, La Documentation
française, n° 3722-3723, 1970.

– Tartakowsky, Danielle, *Les Manifestations de
rue en France, 1918-1968*, Paris, Publications de la
Sorbonne, 1997.
– Vigier, Philippe, « Le Paris des barricades (1830-
1968) », *L'Histoire*, « 1789-1989, deux cents ans de
révolution française », n° 113, juillet-août 1988.

LES OCCUPATIONS

– Adam, Gérard, « Études statistiques des grèves
de mai-juin 1968 », *Revue française de Sciences
politiques*, février 1970.
– Baumfelder, Éliane, Cazes, Sonia, Dassa, Sami,
Durand, Claude, Kergoat, Danièle, Mallet, Serge,
et Vidal, Daniel, « Le mouvement ouvrier en mai
68 », *Sociologie du travail*, Le Seuil, juillet-
septembre 1970.
– Boissier, Cédric, « La Manifestation du 30 mai
1968 », mémoire de DEA-Études politiques,
IEP de Grenoble, 1993.
– Capitaine, Ronan, « Dassault Saint-Cloud en
mai-juin 1968 », mémoire de maîtrise, Paris-I,
1990.
– Comité d'action de Renault-Cléon, *Notre arme
c'est la grève, la grève chez Renault-Cléon*, Paris,
Maspero, 1968.
– Dubois, Pierre, Dulong, Renaud, Durand,
Claude, Erbes-Seguin, Sabine, et Vidal, Daniel,
*Grèves revendicatives ou grèves politiques, acteurs,
pratiques, sens du mouvement de Mai ?*, Paris,
Anthropos, 1971.
– *Les Événements de mai-juin 1968 vus à travers
cent entreprises*, Paris, Centre national
d'information pour la productivité des
entreprises.
– Frémontier, Jacques, *La Forteresse ouvrière
Renault*, Paris, Fayard, 1971.
– Fruitier, Stéphane, « Les événements de Mai 68
dans la Somme », mémoire de maîtrise, Paris-I, 1987.
– Hassenteufel, Patrick, Citroën, « Paris mai-juin
1968, dualités de la grève », mémoire de maîtrise,
Paris-I, 1987.
– Hatzfeld, Nicolas, « La grève de mai-juin 1968
aux Automobiles Peugeot à Sochaux », mémoire
de maîtrise, Paris-VIII, 1985.
– Jallageas, Dominique, « Les grèves ouvrières
dans l'agglomération toulousaine en mai-juin
1968 », mémoire de maîtrise, Paris-I, 1978-1979.
– Le Madec, François, *L'Aubépine de mai,
chronique d'une usine occupée, Sud-Aviation/
Nantes 1968*, Nantes, Archives et Documents,
CDMOT, 1988.
– « Mai 68, Terres ardennaises », *Revue d'histoire
et de géographie locales*, n° 23, juin 1988.
– Mouriaux, René, Percheron, Annick, Prost,
Antoine, et Tartakowsky, Danielle, *1968,*

Exploration du Mai français, 2 tomes, Paris, L'Harmattan, 1992.
– « Le Mouvement social de mai 1968 en Alsace, décalages et développements inégaux », *Revue des Sciences sociales de la France de l'Est*, n° 17, 1989-1990.
– Naudet, Jean-François, « La grève de mai-juin 1968 à la RATP », mémoire de maîtrise, Paris-I, 1986.
– « Ouvriers volontaires, les années 68, l'établissement » en usine », *Les Temps Modernes*, n° 684-685, juillet-octobre 2015.
– Perrot, Michelle, Rebérioux, Madeleine, et Maitron, Jean, « La Sorbonne par elle-même, mai-juin 1968 », *Mouvement social*, n° 64, juillet-septembre 1968.
– Prost, Antoine, « Les Grèves de mai-juin 1968 », *L'Histoire*, n° 110, avril 1988.
– « Révolte de mai 1968 », *Encyclopédie de l'Alsace*, vol. 10, Strasbourg, Publitotal, 1985.
– Salini, Laurent, *Mai des prolétaires*, Paris, Éditions sociales, 1968.
– Séguy, Georges, Le Mai de la CGT, Paris, Julliard, 1972.
– Talbo, Jean-Philippe, *La Grève à Flins*, documents, témoignages, Paris, Maspero, 1968.
– Tilly, Charles, Shorter, Edward, « La vague de grève en France, 1890-1968 », *Annales, Économies, Sociétés, Civilisations*, juillet-août 1973, 28ᵉ année, n° 4.
- Viénet, René, *Enragés et situationnistes dans le mouvement des occupations*, Paris, Gallimard, 1968.

ART ET COMMUNICATION

– *Atelier populaire présenté par lui-même, 87 affiches de mai et juin 1968*, Paris, UUU, 1968.
– *Cahiers du cinéma*, mars et août 1968.
– *Le Cinéma s'insurge, états généraux du cinéma*, n° 1, Eric Losfeld éditeur, Le Terrain vague, 1968.
– Gasquet, Vasco, *500 affiches, Mai 68*, Bruxelles, Aden éditions, 2007.
– Lebel, Jean-Jacques, *Anthologie de la poésie Beat Generation*, Paris, Denoël, 1965 ; *Procès du Festival d'Avignon*, Paris, Belfond, 1968.
– *Mai 68, Toulouse*, Centre municipal de l'affiche, de la carte postale et de l'art graphique, 1988.
– Mesa, *Mai 68, les affiches*, Paris, SPM, 1975.
– *Les Murs ont la parole*, citations recueillies par Julien Besançon, Paris, Tchou, 1968.
– Peters, Louis F., *Kunst und Revolte*, Cologne, M. du Mont Verlag, Schauberg, 1968.
– *Révolution essentielle*, introduction Charles Perussaux, Paris, Bibliothèque nationale, 1982.

FILMOGRAPHIE

86 films, documentaires et fictions sont disponibles à la Vidéothèque de Paris, dont : *Wonder Mai 68*, de Jacques Willemont et Pierre Bonneau, 1968 ; *Grands Soirs et Petits Matins*, de William Klein, 1978 ; *Le Droit à la parole*, de Michel Andrieu, 1978 ; *Nous avons tant aimé la révolution*, de Steven Winter et Dany Cohn-Bendit, 1986 ; *68*, de Patrick Rotman, 2008.

CRÉDITS PHOTOGRAPHIQUES

Abbas/Magnum 21. AFP/Paris 12, 20, 43b, 46b, 51h, 86, 95h. AKG/Paris 18h, 22h, 23. Archives du Centre d'Histoire du travail, Nantes 85. Archive Photos 13, 15, 16h, 25, 34h, 54g-55d, 61. Georges Azenstarck 1, 4, 8-9, 60-61, 72, 74h, 76h, 76-77, 78, 86-87, 106. Bruno Barbey/Magnum 17, 56-57, 62bm, 68b, 81, 88-89, 92-93. Gilles Caron/Contact Press Images 2-3, 5, 6-7, 27, 89b. Henri Cartier-Bresson/Magnum 66hd. C.I.R.I.P., 51m, 52, 53b, 54-55m, 70-71, 75h, 82h, 91, 92m, 94hd, 113b. Coll. part. 97, 110, 111, 113h. Jean Dieuzaide 38-39m, 93b. DR 30b, 31h, 32-33h, 32m, 32hg, 33d, 36-37h, 38b, 70hd, 73, 74b, 78mb, 94hg, 97, 98, 102, 108. Edimédia 66h, 67h, 90. Martine Franck/Magnum 65h. Gamma/ J.-P. Bounotte 84b. Gérard-Aimé/Rapho 4e de couv., dos de couv., 11, 18-19b, 26, 28b, 28-29, 30-31, 31m, 32-33, 34-35b, 35m, 36b, 37, 38h, 41h, 40-41b, 44, 45, 46-47h, 62-63h, 63bd, 64, 65b, 67b. GOESS/SIPA 119. Horace/Rapho 22-23, 47, 48, 50-51b, 95d. Elie Kagan. 42, 96. Keystone 14-15, 19, 40h, 52-53, 82-83. Didier Leplat 87m. Guy Le Querrec/ Magnum 62bg. Magnum 116. Georges Melet/Paris Match/Scoop 1er plat de couverture. Paris-Match 75m. Paris-Match/Camus 80. Paris-Match/Teysseire 79h. PPCM 58. Rapho/Dourdin 68-69. Marc Riboud/Magnum 14. Rey-SAS/Gamma 49g. Roger-Violet 48b, 49d, 60, 66-67, 106. Ferdinando Scianna/Magnum 24b, 24-25. Sygma 55m. Sygma/James Andanson 59b. Sygma/Henri Bureau 89h. UPI/Corbis-Bettmann/Sipa 16b. Adagp, Paris, 2018, 71.

REMERCIEMENTS

L'auteur remercie Tony Alvarez qui lui a permis de consulter son fonds d'archives, Cathy Pozzo di Borgo qui lui a prêté de précieux documents, Jean-Pierre Duteuil pour ses contacts et informations. L'auteur remercie chaleureusement Pierrette Destanque, Fabienne Di Rocco et Monique Frydman pour leur aide dans la constitution du dossier de Témoignages et documents consacré aux affiches de Mai 68 (p. 110-113).

ÉDITION ET FABRICATION

DÉCOUVERTES GALLIMARD
COLLECTION CONÇUE PAR Pierre Marchand et Élisabeth de Farcy.
RESPONSABLE ÉDITORIALE Anne Lemaire. GRAPHISME Hélène Arnaud.
COORDINATION ICONOGRAPHIQUE Isabelle de Latour.
SUIVI DE PRODUCTION Natercia Pauty. PRESSE Béatrice Foti assistée de Françoise Issaurat.
MAI 68 JOUR ET NUIT
ÉDITION Michèle Decré. ICONOGRAPHIE Anne Soto. MAQUETTE Jacques Le Scanff.
LECTURE-CORRECTION Catherine Lévine et Jocelyne Moussart.

Christine Fauré, sociologue, directrice de recherche émérite au CNRS,
laboratoire Triangle (ENS Lyon, université de Lyon), a enseigné de 1973 à 1983 à
l'université de Vincennes, puis de Saint-Denis. Elle devient docteur d'État en 1977
avec sa thèse « Désir et Révolution », sous la direction de Gilles Deleuze.
Elle a publié sur l'histoire des idées politiques : *Terre, terreur et liberté,
essai sur le populisme russe* (Maspéro, 1979) ; *Ce que déclarer des droits veut dire :
histoires* (PUF, 1997, Les Belles Lettres, 2011), ouvrage couronné par l'académie
des Sciences morales et politiques ; elle a co-édité avec Tom Bishop,
L'Amérique des Français (Bourin, 1992, éditions Chryséis, 2016).
Sur les révolutions du XVIIIᵉ siècle : *Les Déclarations des droits de l'homme
de 1789* (Payot, 1988-1992), traduit en espagnol (Mexico, Fondo de cultura
economica,1995-1999) ; elle a édité *Des manuscrits de Sieyès*,
2 vol., 1773-1799 et 1770-1815, (Champion, 1999-2007).
Sur l'histoire politique des femmes : *Quatre femmes terroristes
contre le tsar* (Maspero, 1978) ; *La Démocratie sans les femmes ;
essai sur le libéralisme en France* (PUF, 1985), traduit aux États-Unis
(Indiana University press, 1991) ; elle a dirigé *L'Encyclopédie politique
et historique des femmes* (PUF, 1997, nouvelle édition augmentée
aux Belles Lettres, 2010), ouvrage traduit aux États-Unis
(2003, éditions Routledge) et en Espagne (Madrid, Akal Édiciones 2010).

*1ᵉʳ dépôt légal : avril 1998
Dépôt légal : avril 2018
Numéro d'édition : 332477
ISBN : 978-2-07-278573-3
Imprimé en France par IME by Estimprim*